Т.Н. Базванова, Т.К. Орло

БИЗНЕС-КОРРЕСПОНДЕНЦИЯ

ПОСОБИЕ ПО ОБУЧЕНИЮ ДЕЛОВОМУ ПИСЬМУ ДЛЯ ИЗУЧАЮЩИХ РУССКИЙ ЯЗЫК КАК ИНОСТРАННЫЙ

РУССКИЙ ЯЗЫК
КУРСЫ

МОСКВА
2009

УДК 808.2 (075.8)-054.6
ББК 81.2 Рус-923
Б17

Базванова, Т.Н.

Б17   **Бизнес-корреспонденция.** Пособие по обучению деловому письму для изучающих русский язык как иностранный / Т.Н. Базванова, Т.К. Орлова. — М.: Русский язык. Курсы, 2009. — 152 с.

ISBN 978-5-88337-189-8

Учебное пособие предназначено для иностранных учащихся, владеющих русским языком на базовом уровне. Оно поможет развить навыки деловой письменной речи и научиться составлять деловые документы.

В книге содержатся образцы деловых бумаг: стандартных документов, бланков, различных писем. Грамматический комментарий, упражнения и тексты, включённые в пособие, позволяют заниматься по нему как с преподавателем, так и самостоятельно.

Пособие подготовлено в соответствии с современными образовательными стандартами.

ISBN 978-5-88337-189-8

Предисловие

Предлагаемое учебное пособие предназначено для иностранных учащихся, владеющих русским языком на базовом уровне. Пособие также может быть полезно иностранным специалистам разных сфер, работающим в России или сотрудничающим с российскими компаниями, в которых «рабочим» языком является русский.

Пособие поможет овладеть деловой письменной речью, научиться составлять типовые документы, вести деловую переписку. Предложенные упражнения сформируют и разовьют навыки делового письменного общения на русском языке, помогут точно и ясно излагать мысли, правильно формулировать фразы в соответствии с нормами этикета русского делового письма.

При отборе тем и лексических единиц авторы учитывали их частотность и актуальность в деловой сфере.

Учебное пособие содержит 11 уроков, в которых рассматриваются различные виды документов, предложенных к изучению. Каждому уроку предшествует «Словарь урока», в котором содержатся основные лексические единицы по данной теме, необходимые для работы с текстами документов, и упражнения к ним. Тексты и упражнения воспроизводят типовые ситуации и демонстрируют, каким образом лексический материал может быть использован на практике.

Вопросы, которые не вошли в основное содержание урока, представлены в виде «Дополнительного материала» и носят рекомендательный характер.

Все комментарии в пособии представлены на русском языке. Некоторые формулировки правил намеренно даны в упрощённом виде, чтобы сделать более удобным их понимание и усвоение.

Материал пособия организован таким образом, что позволяет преподавателю использовать его как последовательно, так и выборочно.

Объём материала рассчитан на 45—50 академических часов.

Введение

Деловая письменная речь — это особый тип речи, который используется в сфере официально-деловых отношений. Именно сфера применения и функциональное назначение деловой речи определяют ее особенности.

Пользуясь деловой письменной речью, составляют документы различного рода: приказы, заявления, письма, служебные записки и многие другие. При всём разнообразии видов документов существуют общие правила их речевого оформления. Назовём основные.

Главное правило — точность и ясность речи, не допускающая инотолкований. Это означает, что в деловой речи слова должны использоваться только в их прямом значении. Данное требование связано с тем, что документ — это текст, имеющий юридическую силу, а двойное прочтение может повлечь за собой нежелательные юридические последствия.

Юридическая сила документа обеспечивается комплексом его реквизитов, поэтому реквизиты должны быть правильно оформлены и расположены в установленной стандартом последовательности.

Для письменной деловой речи характерны стандартные речевые формулы — клише. Их использование объясняется повторяемостью ситуаций и тематической ограниченностью деловой речи. Выбранные клише соответствуют типичной ситуации и упрощают составление текста. В некоторых случаях они имеют юридическое значение.

Использование клише обеспечивает ещё одно свойство деловой речи — краткость формулировок. Она соответствует целям и задачам документации и упрощает процесс общения между автором и адресатом документа.

Назовём ещё одно важное свойство деловой речи — этикет. Деловой письменный стиль предлагает набор речевых формул, с помощью которых можно корректно и вежливо общаться, поддерживать и при необходимости дипломатично сглаживать остроту ситуации. А его несоблюдение может привести к коммуникативной неудаче даже при самом грамотном составлении документа.

Итак, знание норм и правил деловой письменной речи поможет составить документ и реализовать те цели, которые ставит перед собой адресант.

Урок 1
ЛИЧНЫЕ ДОКУМЕНТЫ

ТЕКСТЫ

Резюме. Автобиография. Анкета

ДОПОЛНИТЕЛЬНЫЙ МАТЕРИАЛ

Письмо-заявление об устройстве на работу.
Объявление.
Сокращения, принятые в текстах документов

СЛОВАРЬ УРОКА

автобиография + Gen
адресат
аналогичный
ассистент
безотзывный (аккредитив)
безупречный (= идеальный)
вводить/ввести + Acc
ведущий специалист
возможность
востребованный
выполнять/выполнить + Acc
выпускать/выпустить + Acc
главный
готовить/подготовить + Acc

диплом
должность
дополнение
дополнительно
дополнительный
доставлять/доставить + Acc (что?) +
  Acc (куда?)
заключать/заключить + Acc
заработная плата (зарплата)
знания
излагать/изложить + Acc
конкурент
лидер
многолетний

навык(и)
надежный
наличные (деньги)
начальник
обеспечивать/обеспечить + Acc
обладать + Inst
обсуждать/обсудить + Acc
общаться с + Inst
объявлять/объявить + Acc
объявление о + Prep
объясняться
оказывать/оказать + Acc (помощь)
опыт + Gen
осуществлять/осуществить + Acc
    (= реализовать + Acc)
относительно (= касательно)
отчество
переносить/перенести + Acc
подпись
подтверждать/подтвердить + Acc
подтверждение
поздний
полностью
получать/получить + Acc (что?) + Gen
    (от кого? откуда?)

пользователь ПК
поставлять/поставить + Acc (что?) +
    Acc (куда?)
предыдущий
преимущество перед + Inst
принимать/принять + Acc
приобретать/приобрести (= покупать/
    купить) + Acc
продавать/продать + Acc
проживание
проявлять/проявить + Acc
работать + Inst
рекомендация
репутация
сегмент
семейное положение: (не) женат/за-
    мужем ≠ холост/не замужем; раз-
    веден/разведена
сертификат
сопровождать + Acc + Acc (куда?)
составлять/составить (= быть автором)
    + Acc
спрос на + Acc
торговый агент
устанавливать/установить + Acc (что?)

РЕЗЮМЕ

Резюме — это краткая информация о себе как о специалисте с указанием образования, специальности (квалификации), профессиональных навыков, трудовой биографии. Резюме — эффективное и распространённое средство донесения информации о себе до работодателя. Главная цель резюме — заинтересовать работодателя в себе как в специалисте и получить работу.

Рассмотрите образец резюме.

Р Е З Ю М Е

ФАМИЛИЯ ИМЯ (Отчество)	Петров Иван Дмитриевич
АДРЕС	Москва, ул. Миусская, д. 25
	телефон: 000-0000
	e-mail:
ВОЗРАСТ	33 года
ЖЕЛАЕМАЯ ДОЛЖНОСТЬ	менеджер по продажам

ОПЫТ РАБОТЫ

ООО «Последняя компания»
сентябрь 2005 — н/вр.

менеджер по продажам
- продвижение товара на рынке
- работа с клиентской базой
- поиск новых клиентов
- сопровождение продаж
- координация работы отдела
- подготовка документов

март 2004 — сентябрь 2005

помощник менеджера по продажам
- ведение переговоров с клиентами
- сопровождение продаж
- подготовка документов

ЗАО «Предпоследняя компания»
июнь 2002 — март 2005

секретарь-референт
- ведение внутренней и внешней документации
- сводная информация всех дел
- общение по телефону с клиентами компании
- приём факсов и т. п.

ОБРАЗОВАНИЕ

сентябрь 1997—июнь 2002

МГУ им. М.В. Ломоносова, экономический факультет

ДОПОЛНИТЕЛЬНЫЕ НАВЫКИ И ЗНАНИЯ
- Windows, MS Office, Internet — опытный пользователь
- большой опыт продаж, сопровождения сделок, подготовки документов

ЗНАНИЕ ЯЗЫКОВ: английский, свободно

ЛИЧНАЯ ИНФОРМАЦИЯ: женат, имею дочь 5 лет

ПРОЧЕЕ: не курю, имею водительские права, возможны командировки. Хобби — спорт, чтение

Адрес записывают в следующем порядке: город, улица, дом, номер квартиры.
Например: Москва, ул. Садовоя-Кудринская, д. 25, кв. 32

ИНСТРУКЦИЯ

В деловых документах название профессии или должности обычно пишут в мужском роде. Но в названиях некоторых профессий появилась и закрепилась форма женского рода.

м. р.
— менеджер по продажам
— секретарь-референт
— начальник отдела
— менеджер по рекламе
— главный специалист
— торговый агент
— ведущий специалист
— ассистент генерального директора

м. р. и ж. р.
— лаборант/лаборантка
— студент/студентка
— продавец/продавщица
— актёр/актриса
— журналист/журналистка
— художник/художница

Сведения об опыте работы записывают, начиная с последнего места работы.
Например: 2000 г. — настоящее время — менеджер по продажам;
1995 г. —2000 г. —менеджер по рекламе

Упражнение 1. Выполните упражнение по модели, используя в словосочетаниях имена существительные в указанном падеже.

Gen
получить работу + врача
имею опыт + преподавания
Inst
имею опыт работы + секретарём

Модель: Имею опыт составления деловых писем на русском языке.

общаться/общение с + Inst (заказчики, клиенты)

_____

работать/работа с + Inst (клиенты, договоры, заказчики)

_____

искать/поиск + Gen (клиенты, информация)

_____

сопровождать + Acc (туристы, груз)

сопровождение + Gen (делегация, товар)

подготовка + Gen (документы, письма)

готовить + Acc (помещение, специалист)

составлять/составление + Gen (договора)

выполнять + Acc (задание, отгрузка)

выполнение + Gen (поручения, заказы)

доставка + Gen (товары) + Dat (покупатели)

доставлять + Acc (продукцию) + Dat (потребитель)

Сведения об образовании записывают, начиная с последнего места учебы: месяц, год начала обучения — месяц, год окончания, название учебного заведения.
Например: сентябрь 1999 г.— май 2001г. — лингвистическая школа «ECS», курсы английского языка;
сентябрь 1994 г.— июнь 1999 г. — МГУ им. М.В. Ломоносова, экономический факультет

АВТОБИОГРАФИЯ

Автобиография — краткое изложение основных событий своей жизни. Автобиография нужна при трудоустройстве, поступлении на учёбу для информирования организации или учреждения о человеке, его жизни в определённый период времени. Автобиографию составляют в произвольной (свободной) форме. Для работодателя в этом документе последовательно приводят сведения об образовании и трудовой деятельности, а также называют имеющиеся профессиональные качества и опыт работы кандидата.

Приведём примерный план автобиографии.

1. **Представление.** Вы пишите вашу фамилию и имя (отчество), дату, год и место рождения.

2. **Сведения об образовании.** Информация о вашем образовании в порядке его получения. Например: школа, колледж (институт) и т. д.

3. **Сведения о специализации**, курсах, тренингах, семинарах и так далее. Обязательно укажите год, в котором вы проходили обучение (дополнительное образование), тему семинаров, курсов и тренингов.

4. **Опыт работы.** В отличие от резюме порядок перечисления нужно начинать с самого первого места работы и постепенно перечислить все последующие места. Здесь также необходимо указать год приёма на работу, должность и обязанности, которые вы выполняли.

5. В автобиографии можно указать **состав вашей семьи**.

Упражнение 2. Прочитайте образец автобиографии.

АВТОБИОГРАФИЯ

Я, Балахонов Геннадий Григорьевич, родился 27 октября 1975 года в Москве. В 1982 году поступил в среднюю школу № 28 и в 1992 году ее окончил. После окончания школы в 1992 году поступил на факультет информатики и вычислительной техники, который окончил в 1997 году, получив диплом по специальности «Системное программирование».

В 1999 году закончил курсы English&.

С 1997 по 1999 год работал в Информационном центре Администрации Москвы на должности консультанта в области Интернет технологий и занимался Web дизайном.

Отец, Балахонов Григорий Николаевич, 1948 года рождения, работает старшим инженером в ЖЭУ.

Мать, Балахонова Вера Борисовна, 1950 года рождения, работает воспитателем в детском саду № 15.

Брат, Балахонов Игорь Григорьевич, 1989 года рождения, студент МАИ.

Жена, Балахонова Ольга Андреевна, 1978 года рождения, работает врачом в поликлинике № 152.

Дочь, Балахонова Ирина Геннадьевна, 1999 года рождения, школьница.

10.12.2009 Г.Г. Балахонов

Упражнение 3. Представьте, что вы работодатель, и напишите ваши вопросы для собеседования с претендентом на вакансию.

Упражнение 4. Составьте резюме для Балахонова Геннадия Григорьевича. Придумайте недостающую информацию.

Р Е З Ю М Е

Фамилия _____

Имя (отчество) _____

Адрес _____
_____

Желаемая должность _____

Опыт работы _____
_____
_____
_____
_____

Образование _____
_____
_____

Дополнительные навыки и знания _____
_____
_____
_____

Знание языков _____
_____

Прочее _____
_____
_____
_____

Упражнение 5. Напишите ваше резюме.

РЕЗЮМЕ

Фамилия _____

Имя (отчество)_____

Адрес _____

_____

Желаемая должность _____

Опыт работы_____

_____

_____

_____

_____

Образование _____

_____

_____

Дополнительные навыки и знания _____

_____

_____

_____

Знание языков _____

_____

Прочее _____

_____

_____

Упражнение 6. Подготовьте ответы на вопросы.

1) Почему вы хотели бы работать в компании, в которую пришли на собеседование?
2) Почему эта компания должна выбрать именно вас?
3) Какой вы представляете себе идеальную работу для вас?
4) Почему вы уволились (увольняетесь) с предыдущего места работы?
5) Какими качествами характера вы обладаете? (назовите 3—4)

АНКЕТА

Анкета — это бланк с вопросами, который работодатель предлагает заполнить кандидату на вакансию. Анкета заполняется в том случае, если работодателю необходимо получить дополнительную информацию о кандидате. Как правило, анкета имеет объём 4—6 страниц. Анкета заполняется от руки.

Упражнение 7. Изучите анкету и заполните ее информацией о себе.

1. Фамилия _____

2. Имя _____

3. Дата и место рождения _____

4. Домашний адрес (полный)
   Место постоянной
   регистрации (полный адрес) _____
   _____

   Место временной
   регистрации (полный адрес) _____
   _____

   Место фактического
   проживания (полный адрес) _____
   _____

   Телефон
   домашний _____ рабочий _____ мобильный _____
   Паспорт:
   серия_____ № _____
   Дата выдачи «____» _____ г.
   Кем выдан _____

5. Образование
   ☐ — высшее   ☐ — незаконченное высшее
   ☐ — среднее специальное   ☐ — среднее

Укажите основное и дополнительное образование (курсы, аспирантура и др.)

Период учебы (год поступления — год окончания)	Название учебного заведения. Факультет. Форма обучения (дневная, вечерняя, заочная)	Специальность, квалификация	Диплом (№, серия)	Средний балл

6. Опыт работы и профессиональные навыки

Период работы (месяц, год)		Организация, должность	Краткое описание выполняемой работы: — должностные обязанности; — степень ответственности и полномочия; — количество непосредственных подчиненных.
с	по		

7. Работа с компьютером:

☐ — не владею навыками работы   ☐ — уровень пользователя   ☐ — уровень программиста

Работаю с программами* _____

_____

*Windows, Internet, 1C...

8. Знание иностранных языков.

Поставьте в таблице цифры, соответствующие вашему уровню владения языком:

2 — плохое; 3 — посредственное; 4 — хорошее; 5 — отличное

Язык	Устный	Письменный

9. Ваши личные качества:_____

_____
*(не более 3-х — 4-х)

10. Ваши интересы, хобби:_____

_____

_____

11. Почему хотели бы работать в нашей компании? _____

_____

_____

12. Можете ли предоставить рекомендации? (Контактная информация лица (лиц), которые могут дать Вам рекомендацию):

☐ — да   ☐ — нет

Если Да, то укажите, пожалуйста, фамилию, имя, отчество, контактный телефон и занимаемую должность человека, готового дать Вам профессиональную рекомендацию

Фамилия, имя, отчество _____

Организация, должность _____

Телефон _____

13. На какую зарплату претендуете (от...) _____

Подпись _____   «_____» _____ 20___ г.

ДОПОЛНИТЕЛЬНЫЙ МАТЕРИАЛ ══════════════

Сопроводительное письмо к резюме

В некоторых случаях кандидат вместе с резюме высылает письмо, в котором он предлагает работодателю ознакомиться подробнее с его квалификацией и опытом работы. Такой вид письма широко используется в западных странах и называется cover letter или сопроводительное письмо. Если резюме — это сведения о вашей квалификации, местах работы, образовании, то сопроводительное письмо — это обращение к работодателю, своего рода реклама, которая позволит ему обратить внимание именно на вас.

Сопроводительное письмо должно быть кратким и вежливым по форме. Необходимая информация:

- формальное обращение о приёме на работу. Обычно в письме указывают источник информации о вакансии по объявлению (по рекламному объявлению);
- краткая информация об образовании, квалификации и опыте работы.

В конце письма можно указать, какую заработную плату (зарплату) вы хотели бы получать, а также, когда вы могли бы начать работать.

В заключение следует выразить готовность прийти на собеседование.

Приведём образец сопроводительного письма.

Уважаемые господа,
я прочитал(а) в газете «....................», что вам требуется ....
Полагаю, что могу соответствовать этим требованиям. Хотелось бы получить работу в вашей фирме, так как, выполняя ее, я мог(ла) бы проявить самостоятельность и творческие способности.

За время работы на фирме «....................» в течение .... лет я получил(а) опыт работы ....

Кроме того, я владею английским и французским языками и могу вести переговоры на этих языках.

Прошу известить по домашнему телефону или письменно, когда я могу представиться вам лично.

В случае вашего положительного решения хотел(а) бы получать заработную плату в размере .... в месяц.

Мог(ла) бы приступить к работе немедленно.

Приложением к сопроводительному письму могут быть:

- копия вашего диплома об образовании;
- рекомендация;
- ваша фотография.

Объявление

Объявление должно быть максимально кратким и содержать только очень важную информацию. В газетных объявлениях часто используют сокращения слов. Все сокращения слов и наименований в документах должны быть обще-принятыми и понятными.

Существует несколько типов сокращений.

- Сокращаются последние буквы в слове. При таком типе сокращения в слове остается несколько букв и ставится точка. Последней буквой не может быть гласная буква, буквы «Й» или «Ь».
  рубль — руб.   улица — ул.

- Сохраняется только первая буква в слове. После нее ставится точка.
  сего года — с. г.,   г. — город.

- Для сокращения словосочетаний используют знак «косая черта» (/).
  в/о — высшее образование
  н/вр — настоящее время

- Сохраняются первая и последняя часть слова, между ними ставится тире, точку не ставят.
  господин — г-н;   госпожа — г-жа

- Условное обозначение стандартных физических величин, единиц измерения. Точка после такого сокращения не ставится.
  килограмм — кг   литр — л

- Аббревиатуры
  РФ — Российская Федерация,
  мини-АТС — автоматическая телефонная станция и др.

ЗАПОМНИТЕ СОКРАЩЕНИЯ

акад. — академик	ж.-д. — железнодорожный
в. — век	з/п — заработная плата
вв. — века	им. — имени
г-н — господин	ин.; иностр. — иностранный
г-жа — госпожа	ин-т; инст. — институт
г-да — господа	и. о. — исполняющий обязанности
г. — год	мин — минута
гг. — годы	млн — миллион
доц. — доцент	млрд — миллиард
ж. д. — железная дорога	мм — миллиметр

о/р — опыт работы	т. е. — то есть
ПК — персональный компьютер	и т. д. — и так далее
проф. — профессор	и т. п. — и тому подобное
просп.; пр. — проспект	и др. — и другие
р.; руб. — рубль	и пр. — и прочие
р/с (р/сч) — расчётный счёт	см. — смотри (при ссылке)
с.; стр. — страница	ср. — сравни (при ссылке)
с.г. — сего года	напр. — например
см — сантиметр	г. — город
ул. — улица	обл. — область
Ф. И. О.; ф. и. о. — фамилия, имя, отчество	

Упражнение 8. Прочитайте образец объявления и расшифруйте сокращения.

> Ищу работу менедж., жен., 34 г, в/о, о/р 2 г. в выстав.бизн., ПК (Word, Excel, Internet, Corol, 1C: Торговля-Склад, 1C: Бухгалтерия); организат. способ-ти, обуч., стрессоуст., аналитич.спос-ти; з/п от 10 000 руб. Тел.: 243-03-89, 8-903-4307845. Ольга Александровна.

Упражнение 9. Пользуясь представленной информацией, составьте объявление так, чтобы потратить как можно меньше денег. Один печатный знак стоит 1 рубль.

• Меня зовут Валерий. Мне 25 лет, живу в Москве в районе метро «Сокол». С 2000 по 2006 год обучался в Московской юридической академии по специальности «Юрист-правовед». С 2000 года по настоящее время работаю юристом в страховой компании. Должностные обязанности: составление договоров и их юридическое сопровождение, оформление сделок с недвижимостью. Имею опыт работы на персональном компьютере (Word, 1C, Гарант). Хотел бы получать заработную плату не менее 500 долларов США в месяц. Мой e-mail: lirol@mail.ru

• Меня зовут Лариса. Мне 23 года. Я не москвичка, но имею московскую регистрацию. Проживаю в районе метро «Новослободская». Хотела бы найти работу референта компании. По этой специальности имею опыт работы более 5 лет в различных компаниях. Выполняла следующие обязанности: составление и оформление документации, ведение переписки с иностранными партнерами по e-mail; работа с мини-АТС, оргтехникой, планирование рабочего дня руководителя. Свободно говорю по-английски и по-немецки. Хотела бы получать заработную плату 50 тысяч рублей в месяц. Мобильный телефон: 8-900-7777777.

Урок 2
ВНУТРЕННИЕ ДОКУМЕНТЫ

ТЕКСТЫ

Служебная записка. Докладная записка.
Объяснительная записка. Заявление. Документ-матрица.
Сопроводительное письмо. Доверенность. Расписка

ДОПОЛНИТЕЛЬНЫЙ МАТЕРИАЛ

Квалификация субъекта по роду деятельности

СЛОВАРЬ УРОКА

выдача + Gen
высылать/выслать + Acc (что?) + Dat (кому?) + Acc (куда?)
генеральный директор
действие
доверять/доверить + Acc (что?) + Dat (кому?)
доверенность
доводить/довести до
сведения = информировать
закупать/закупить = покупать/купить + Acc (что?) + Prep (где?)
закупка + Gen

заменять/заменить + Acc (что?) на + Acc (что?)
замена + Gen
заместитель
записка
исполнять/исполнить + Acc (что?)
комплект
объяснять/объяснить + Acc (что?)
объяснительный
отдел + Gen (чего?)
отправлять/отправить + Acc (что?) + Dat (кому?)
отпуск

отчёт	проживать
оформлять/оформить + Acc (что?) +	руководить
Dat (кому?)	руководитель
очередной	служебный
повреждён(ный)	средства (мн.) = деньги
подписывать/подписать	срок
покупать/купить	статус
предоставлять/предоставить	увольнять/уволить
представлен(ный)	ценный
представлять/представить	

Внутренние документы составляют, чтобы решить вопросы по работе между отделами, департаментами одной и той же организации или между сотрудником компании и его администрацией. К внутренним документам относятся: служебная записка, докладная записка, объяснительная записка, заявления и некоторые другие.

СЛУЖЕБНАЯ ЗАПИСКА

Служебная записка — это внутренний документ, в котором излагают вопросы о делах внутри организации.

Начальнику отдела безопасности
Балаганову А.Ю.

Служебная записка

Прошу разрешить вход в здание института и работу 22.08.2008 и 23.08.2008 следующим сотрудникам:
Александрову И.С., Беликовой О.А., Серапиненко С.С.

Начальник отдела закупок   Сергеев Р.П.

Служебная записка по структуре и содержанию аналогична деловому письму. Как правило, в служебной записке приводятся просьбы, излагаются выводы, предлагаются решения. Для аргументации могут указывать ссылки на факты и события, решения и другие аргументы, послужившие основанием для составления служебной записки.

ДОКЛАДНАЯ ЗАПИСКА

Докладную записку составляют для того, чтобы информировать администрацию о ситуации, факте и инициировать её (администрацию) принять определённое решение.

Первому заместителю
генерального директора банка «Банк»
г-ну Смольскому О.Б.

Докладная записка

Довожу до Вашего сведения, что техника, расположенная в отделе ценных бумаг, устарела и требует немедленной замены. В противном случае отдел не сможет обслуживать клиентов.

Прошу Вас выделить средства в размере 100 000 (ста тысяч) рублей на замену устаревшей компьютерной техники для отдела ценных бумаг.

Начальник отдела АСУ   В.В. Хлебодаров

ОБЪЯСНИТЕЛЬНАЯ ЗАПИСКА

Объяснительная записка помогает разъяснить ситуацию, разобраться в вопросах. Обычно объяснительную записку составляет сотрудник, чтобы сообщить руководителю причины нарушения правил, инструкций, трудовой дисциплины или принести извинения. Текст составляют в свободной форме.

Первому заместителю
генерального директора банка «Банк»
г-ну Смольскому О.Б.

Объяснительная записка

Отчет отдела за I квартал 2002 г. не был представлен в срок, так как телефонная линия, на которой находится факс-модемный аппарат, была повреждена.

Начальник отдела ценных
бумаг банка «Банк»   И.Р. Владимиров

ЗАЯВЛЕНИЕ

Личное заявление пишется, как правило, от руки в свободной форме. Заявление пишут:

- при приёме на работу;
- при увольнении по собственному желанию;
- для предоставления отпуска;
- с просьбой оказать материальную помощь и другие услуги.

Образец заявления о приеме на работу.

> Генеральному директору
> банка «Банк»
> г-ну Семёнову Г.Н.
> от Коротина Петра Петровича,
> паспорт ХХ № ХХХХХ,
> выдан хххххххх 01.03.2001,
> проживающего по адресу:
> г. Саратов, ул. Советская, д. 4-а кв. 125.
>
> З А Я В Л Е Н И Е
>
> Прошу принять меня с 00.00.200__ на работу в отдел АСУ на должность инженера.
>
> 00.00.200__ П.П. Коротин

Образец заявления о предоставлении отпуска.

> Генеральному директору
> банка «Банк»
> г-ну Семёнову Г.Н.
> от менеджера
> Косарева А.С.
>
> З А Я В Л Е Н И Е
>
> Прошу предоставить мне очередной отпуск с 00 по 00 июня 200_ г.
>
> 00.00.200_ А.С. Косарев

Образец заявления об увольнении.

Генеральному директору
банка «Банк»
г-ну Семёнову Г.Н.
от менеджера
Колчина П.С.

З А Я В Л Е Н И Е

Прошу уволить меня по собственному желанию 00.00.200_ г.

00.00.200_ П.С. Колчина

Упражнение 1. Составьте аналогичное заявление о приёме на работу, используя данную информацию.

- «Интербанк»
  председатель правления банка Осипов В.С.
  вакансия: программист

- Торговый дом «Романовский пассаж»
  директор Весковская Р.Т.
  вакансия: менеджер по рекламе

- ЗАО «Ларс»
  генеральный директор Сакулин П.А.
  вакансия: руководитель отдела

СОПРОВОДИТЕЛЬНОЕ ПИСЬМО

Сопроводительное письмо — это письмо, в котором сообщают о том, какой (или какие) товар, продукцию и т. д. передают клиенту.

Текст сопроводительного письма начинается словами: «Представляем вам...» (в вышестоящую организацию), «Направляем вам...» (в подведомственную организацию), «Высылаем вам...» (в стороннюю организацию).

Упражнение 2. Составьте сопроводительное письмо. Используйте приведенную ниже информацию.

Кому? (куда?) отдел кредитования
Что?   письмо Дрезденского акционерного банка от 01.12.2004;
                      счет-фактуру.

_____
                                                        (кому?)

«___» _____ 20_____ г.

                     Уважаемые господа!

Направляем вам _____
                                            (что?)

С наилучшими пожеланиями,
менеджер отдела продаж

ДОВЕРЕННОСТЬ

Доверенность — это документ, который даёт право одному лицу выполнять действия в интересах другого лица. Доверенность может быть либо написана от руки, либо оформлена в виде бланка.

Приведём образцы доверенности.

ДОВЕРЕННОСТЬ

Я, Смирнова Елена Васильевна, проживающий(ая) по адресу: г. Москва, ул. Полевая, дом 8, кв. 16, паспорт: 72 02 № 131006, выдан: ОВД Бабушкинского района г. Москвы 12 мая 2002 г.

Доверяю Павловой Ольге Сергеевне, проживающему(ей) по адресу: г. Москва, Гоголевский бульвар, дом 18, кв. 54, паспорт: 73 00 № 133 007, выдан: ОВД Центрального района г. Москвы 16 сентября 2001 г., получить мою заработную плату за июнь 2009 г.

17 мая 2009 г.
Срок действия доверенности: по 17 августа 2009 г.

ДОВЕРЕННОСТЬ

Я, _____ ,

проживающий(ая) по адресу: _____

_____

паспорт: _____ № _____ , выдан: _____

_____

Доверяю _____

паспорт: _____ № _____ , выдан: _____

« ___ » _____ 200 __ г.

_____

_____

_____

Дата выдачи доверенности « ___ » _____ 200__ г.

Срок действия доверенности: _____

Подпись _____

ДОВЕРЯЮ + Inf.

Доверяю   получить документацию, деньги
                   представлять мои интересы + Prep
                   купить ≠ продать + Prep
                   получить кредит
                   подписывать от моего (нашего) имени договоры

ИНСТРУКЦИЯ

Цифры в доверенности пишут прописью с заглавной буквы.

Например: Доверяю получить мою заработную плату в размере 15 000 (Пятнадцать тысяч) рублей.

Для указания периода времени употребляют предлоги
С и ПО: с 2008 по 2010 г., а НЕ: с 2008 до 2010 г.

РАСПИСКА

Расписка — это односторонний документ с подписью, подтверждающий факт получения чего-либо (например, денег, документов). Составляют в свободной форме. Обязательные реквизиты:

- анкетные данные сторон;
- сумма передаваемых денежных средств и иные обязательства;
- дата и место составления;
- подпись человека, дающего расписку.

Прочитайте образец расписки.

Я, Кузнецов Сергей Николаевич, проживающий по адресу: г. Москва, ул. Горького, д. 5, стр. 3, кв. 57, паспорт 0022 554387, получил от Иванова Геннадия Сергеевича, проживающего по адресу: г. Москва, ул. Пушкина, д. 1, кв. 4, 100 000 (сто тысяч) рублей.

10.09.2008 года,
Кузнецов Сергей Николаевич   *Кузнецов*
* (фамилия, имя и отчество прописью и подпись)

ДОКУМЕНТ-МАТРИЦА

Документ-матрица — это документ, который имеет реквизиты в фиксированной форме и расположении (бланк, анкета, сертификат и др.).

Приведём образцы документов-матриц.

«*15*» ___*мая*___ 20*08* г.

___*Господин Осипов,*___

просим Вас выслать по нашему адресу ___*иллюстрированные каталоги*___

_____

в ___*трёх*___ экземплярах на ___*производимое Вами оборудование*___

С уважением, *Козина Н.О.*

«___» _____ 20___ г.

_____

Просим Вас выслать по нашему адресу _____
_____
в _____ экземплярах на_____
С уважением,
Подпись

Упражнение 3. Заполните матрицу следующей информацией.

- Кому: Вакутагину Олегу Викторовичу
  Нужно: 13 (тринадцать) комплектов мини-АТС

«___» _____ 20___ г.

_____,

просим Вас выслать по нашему адресу_____
(_____)
комплектов_____
С уважением, _____

- Кому: Григорьевой Евгении Сергеевне
  Нужно: 23 (двадцать три) пособия с дисками и сертификаты

«___» _____ 20___ г.

_____,

просим Вас выслать по нашему адресу_____
_____
в _____ экземплярах.
С уважением, _____

28

Упражнение 4. Расшифруйте сокращения.

н/вр	300 долл. США	п. 1 контракта
2005 г.	г-да бизнесмены	мин-во
г-н Фёдоров	и.о. ген. директора	пп. 2 и 4 контракта
зам. директора	и т. д.	17 января с.г.
2002—2005 гг.	и т. п.	см. приложение
г-жа Яковлева И.М.	345 кг	Ф.И.О.
ПК	125 м	р/с

ДОПОЛНИТЕЛЬНЫЙ МАТЕРИАЛ ▬▬▬▬▬▬▬▬▬

Квалификация субъекта по роду деятельности. Наименование профессии и должности в официальной ситуации

В деловом стиле для квалификации субъекта используют имена существительные, которые называют людей по признаку, определённому каким-либо действием или отношением:

- работник — это любой человек, работающий в компании, независимо от занимаемой должности: менеджер, секретарь, ассистент, продавец и другие. Например: продавец — работник, который продаёт товары;
- рабочий — человек, который профессионально занимается производственным (индустриальным) трудом, принадлежит к социальной группе индустриального общества. Например: техник, электрик, строитель и другие;
- акционер — владелец акций. Акционером может быть как человек (физическое лицо), так и организация (юридическое лицо).

1. Название профессии, должности и рода деятельности лица в деловом стиле русского языка используется в форме мужского рода. Например:

- представитель компании — Алексеева Ольга.

2. Названия профессий могут быть образованы от основ глаголов с помощью суффиксов: -ТЕЛЬ, -ЩИК, -НИК.

Прочитайте и запомните некоторые примеры.

а) суффикс -ТЕЛЬ

руководить	→ руководитель;
замещать/заместить	→ заместитель;
представлять/представить	→ представитель;
покупать	→ покупатель;
исполнять/исполнить	→ исполнитель;
оформлять/оформить	→ оформитель;
отправлять/отправить	→ отправитель;
получать/получить	→ получатель;
посещать/посетить	→ посетитель;
предъявлять/предъявить	→ предъявитель;
составлять/составить	→ составитель

б) суффикс -ЩИК

занимать	→ заём	→ заёмщик;
закупать	→ закупка	→ закупщик;
поставлять	→ поставка	→ поставщик;
платить	→ плата	→ плательщик

в) суффикс: -НИК

работать → работник.

3. В качестве названия профессии может использоваться субстантивированное имя прилагательное (adj):

рабочий, служащий, ученый.

4. Многие названия заимствованы из других языков:

секретарь-референт, секьюрити; эйч-ар (HR) менеджер, веб-(Web)-программист, веб-(Web)-дизайнер, имиджмейкер, адвокат, бухгалтер, кредитор, акционер, инспектор.

Официальные названия должности и профессии строятся по определенным моделям.

Модель 1: Имя прилагательное (adj) + имя существительное (noun).
Например:
• торговый представитель,
• главный инженер,
• генеральный директор,
• ведущий специалист,
• научный сотрудник.

Модель 2: Имя существительное (noun) + имя существительное (noun, Gen).

Например:
- ассистент шеф-редактора,
- помощник руководителя,
- руководитель отдела закупки,
- заместитель начальника отдела.

Модель 3: Имя существительное (noun) + имя прилагательное (adj) + имя существительное (noun, Gen).

Например:
- заместитель генерального директора.

Модель 4: Имя существительное (noun) + предлог по + имя существительное (noun, Dat).

Например:
- менеджер по продажам,
- специалист по маркетингу,
- агент по сбыту,
- мастер по ремонту (+ Gen).

ЗАПОМНИТЕ СОКРАЩЕНИЯ

1. Название должности в системе государственной власти и управления Российской Федерации пишется с большой буквы:
- Президент Российской Федерации;
- Руководитель Администрации Президента Российской Федерации;
- Советник Президента Российской Федерации;
- Заместитель Председателя Совета Министров.

2. Названия должностей руководителей общественных (социальных) организаций пишутся с маленькой буквы.
- президент Союза арендаторов и предпринимателей России,
- председатель Федерации независимых профессиональных союзов России.

Упражнение 5. Напишите правильно.

мэр москвы _____

президент рф _____

президент российской фондовой биржи _____

_____

генеральный директор зао «ИВАНОВ И К°» _____

_____

председатель правления банка _____

_____

заместитель председателя правления компании _____

_____

Наименование организаций и учреждений

1. С большой буквы пишут ВСЕ СЛОВА, кроме служебных, в названиях высших правительственных, государственных организаций и учреждений страны, а также важнейших международных организаций.

Например:
- Верховный Совет Российской Федерации,
- Организация Объединенных Наций.

2. С большой буквы пишут ПЕРВОЕ слово в названиях министерств, государственных комитетов.

Например:
- Министерство промышленности РФ,
- Департамент налоговой полиции.

НО: если они не являются названием одной организации, то есть употребляются в форме множественного числа, то пишутся с маленькой буквы.

Например:
- министерства и ведомства,
- департаменты Москвы.

3. С большой буквы пишут ПЕРВОЕ слово и собственные имена в названиях научных, учебных заведений; учреждений культуры; торговых и промышленных предприятий.

Например: Академия наук России,
Дом художника.

С большой буквы также пишут и имя прилагательное (adj) в начале названия.

Например: Центральный дом журналиста.

Упражнение 6. Напишите правильно.

администрация центрального округа москвы _____

_____

коллегия совета министров_____

_____

правительство российской федерации _____

_____

министерство образования и науки российской федерации_____

_____

коммерческий банк «российский кредит» _____

_____

международный валютный фонд _____

_____

центральный банк россии_____

_____

биржи и банки тюменской области _____

_____

государственная дума _____

_____

министерство иностранных дел _____

_____

министерства российской федерации _____

_____

российский государственный гуманитарный университет _____

_____

дом актера _____

_____

Урок 3

ВНЕШНЯЯ ДЕЛОВАЯ ПЕРЕПИСКА. СТРУКТУРА ДЕЛОВОГО ПИСЬМА

ТЕКСТЫ

Реквизиты и композиция делового письма.
Правила рубрикации. Образцы писем

ДОПОЛНИТЕЛЬНЫЙ МАТЕРИАЛ

Русские мужские и женские имена и отчества

СЛОВАРЬ УРОКА

благодарить/поблагодарить + Acc (кого?)
гарантировать + Dat (кому?) + Acc (что?)
гарантия на + Acc (что?)
заказ на + Acc (что?)
заказывать/заказать + Acc (что?)
запасные части (запчасти)
запрашивать/запросить + Acc (что?)
запрос о + Prep (чем?)
заявлять/заявить + Prep (о чём?)
изменять/изменить + Acc (что?) + Prep (где?)
информировать + Acc (кого?) + Prep (о чём?)

касательно + Gen (чего?)
напоминание + Prep (о чём?)
напоминать/напомнить + Prep (о чём?)
направлять/направить + Dat (кому) + Acc (что?)
отправитель
подпись + Gen (чья?)
подтверждение
поздравление
поздравлять/поздравить + Acc (кого?) + с Inst (чем?)
получение

получатель
посещать/посетить + Acc (что?)
поставка
предлагать/предложить + Acc (что?)
предложение = оферта
представитель
предупреждать/предупредить + Acc (кого?) + Prep (о чём?)
предупреждение + Prep (о чём?)
приглашать/пригласить + Acc (кого?) + Acc (куда?)
прилагать/приложить + Acc (что?) + к Dat (чему?)
приложение
приносить извинения + Dat (кому?) = извиниться перед + Inst (кем?)
просить/попросить + Acc (кого?) + Prep (о чём?)

размещение + Gen (чего?) в/на + Prep (где?)
решать/решить
решение
согласование
согласовать + Acc (что?)
сообщать/сообщить + Prep (о чём?)
сообщение + Prep (о чём?)
станок
товар
транспортировка
условие
уточнение
уточнять/уточнить + Acc (что?)
участвовать в/на + Prep (чём? где?)
участие
экземпляр
юбилей

СТРУКТУРА ДЕЛОВОГО ПИСЬМА: РЕКВИЗИТЫ, КОМПОЗИЦИЯ

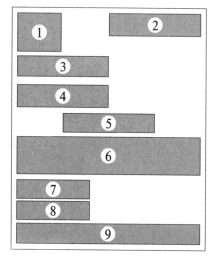

1. Наименование организации-отправителя
2. Адресат
3. Дата написания письма и его номер
4. Заголовок (тема письма)
5. Обращение
6. Текст письма
7. Заключительная формула вежливости
8. Указание на приложение
9. Подпись

Рассмотрим подробнее каждую составляющую делового письма.

1. Наименование организации-отправителя (логотип компании)

2. Адресат

Г-ну Богомолову В.П.
генеральному директору
«Кронос-М»

или

«Кронос-М»
генеральному директору
г-ну Богомолову В.П.

ЗАПОМНИТЕ

Иностранные имена и фамилии склоняются по правилам русской грамматики!

- Если иностранное имя оканчивается на -А или на -ИЯ, то оно склоняется так же, как русское слово.

Nom	Dat (кому?)
Карел Чапек	КарелУ ЧапекУ
КаринА Бермудез	КаринЕ Бермудез

- Иностранные имена и фамилии, оканчивающиеся на согласный звук, склоняются, если относятся к мужчинам, и НЕ склоняются, если относятся к женщинам:

Nom	Dat (кому?)
Джозеф Борг	ДжозефУ БоргУ
Элизабет Борг	Элизабет Борг

- В составных именах и фамилиях китайских, корейских, вьетнамских, если они принадлежат мужчинам, склоняется последняя часть (если она оканчивается на согласный звук).
  Например: речь Ли ПэнА, заявление Фам Ван ДонгА, беседа с У Ку ЛингОМ.

- НЕ склоняются иностранные фамилии, оканчивающиеся на гласные, а также фамилии на -КО или -ЕНКО:

Nom	Dat (кому?)
Хуан Пабло Гарсиа	ХуанУ Пабло Гарсиа
Валерий Янко	ВалериЮ Янко
Людмила Ткаченко	ЛюдмилЕ Ткаченко
Сергей Петренко	СергеЮ Петренко

- НЕ склоняются русские фамилии, оканчивающиеся на -СКИХ:

Nom	Dat (кому?)
Галина Польских	ГалинЕ Польских
Виктор Покровских	Виктору Покровских

Упражнение 1. Сформулируйте обращение по модели.

Модель 1: Виктор Васильевич Беркутов — Беркутову Виктору Васильевичу
Модель 2: Светлана Аркадьевна Волкова — Волковой Светлане Аркадьевне

Васильев Сергей Валентинович — ...

Яковлева Валентина Игоревна — ...

Самохина Людмила Григорьевна — ...

Романов Леонид Викторович — ...

Коротков Андрей Андреевич — ...

Лапшина Ольга Ивановна — ...

Сорин Василий Павлович — ...

Власенко Олег Георгиевич — ...

3. Дата написания письма и его номер

ИНСТРУКЦИЯ

Порядок написания числительных в дате.

число	месяц (Gen)	год
17	мая	2008 г.

17.05.2008

4. Заголовок (тема письма)

о + Prep
по вопросу о + Prep
касательно + Gen

О поставке автомобилей

По вопросу о поставке запчастей

Касательно заказа на поставку

Упражнение 2. Сформулируйте и запишите заголовок (тему письма). Используйте клише: **по вопросу о** ... и **касательно**.

Поставка товаров;

информация о визах для студентов-иностранцев;

подтверждение участие в выставке;

согласование условий контракта;

изменение времени и места встречи;

транспортировка компьютеров.

5. Обращение

Уважаемый	господин (г-н)	
Уважаемая +	госпожа (г-жа) +	Фамилия
Уважаемые	господа	
Уважаемый	Имя, Отчество Фамилия	

Упражнение 3. Сформулируйте обращение по модели.

Модель 1: Виктор Васильевич Беркутов
Уважаемый г-н Беркутов
Уважаемый Виктор Васильевич

Модель 2: Светлана Аркадьевна Волкова
Уважаемая г-жа Волкова
Уважаемая Светлана Аркадьевна

Васильев Сергей Валентинович;
Самохина Людмила Григорьевна;
Коротков Андрей Андреевич;
Сорин Василий Павлович;

Яковлева Валентина Игоревна;
Романов Леонид Викторович;
Лапшина Ольга Ивановна;
Власенко Олег Георгиевич.

6. Текст письма

ИНСТРУКЦИЯ

Особенности текста письма.

• Текст должен касаться одного вопроса. Текст может касаться нескольких вопросов в том случае, если они взаимосвязаны.

• Текст, как правило, состоит из двух частей. В первой части называют причину составления письма, дают ссылки на документы, которые были основанием подготовки письма. Во второй части формулируют выводы, предложения, просьбы, решения и т. д.

38

• Основной глагол обычно ставят в форме 1-го или 3-го лица единственного числа: «Прошу...», «Направляю...», «Компания приглашает...» или 1-го лица множественного числа: «Сообщаем...».

Местоимения Я и МЫ в письмах не используются.

| Я ~~МЫ~~ | прошу просим | прошу просим |

1-е лицо ед. ч. Я	1-е лицо мн. ч. МЫ	3-е л. ед. ч. ОН (ОНА)
Напоминаю	Напоминаем	(фирма) напоминает
Прошу	Просим	(фирма) просит
Подтверждаю	Подтверждаем	(фирма) подтверждает

Деловые письма классифицируются в зависимости от содержания.

Тип письма	Основной глагол
Письмо-напоминание	Напоминаю, -ет, -ем
Письмо гарантийное	Гарантирую, -ет, -ем
Письмо-подтверждение	Подтверждаю, -ет, -ем
Письмо-ответ	
Информационное письмо	Информирую, -ет, -ем
Письмо-приглашение	Приглашаю, -ет, -ем
Инициативное письмо	
Письмо-просьба (предложение, запрос)	Прошу, -(с)ит, -(с)им
Сопроводительное письмо	
Письмо-предупреждение	Предупреждаю, -ет, -ем

Упражнение 4. Составьте предложения по модели.

Модель 1: (просить) о предоставлении скидки
Просим Вас предоставить скидку.

(напоминать) _____ о сроке поставки запасных частей;

(информировать) _____ о новой дате конференции;

(направлять) _____ каталоги и образцы товаров (заказ №14);

(гарантировать) _____ оплату товаров;

(приглашать) _____ на семинар 12.12.2008;

(приносить извинения) _____ , так как не может приехать на выставку

Модель 2: (благодарить) за участие в выставке

Фирма «...» благодарит Вас за участие в выставке.

(поздравлять) Фирма «...» _____ с юбилеем;

(сообщать) Фирма «...» _____ об изменении условий контракта;

(подтверждать) Фирма «...» _____ получение визитных карточек;

(благодарить) Фирма «...» _____ за быструю и точную информацию;

(предлагать) Фирма «...» _____ купить телефонный справочник «Вся Москва».

> В деловой письменной речи используется формула «Глагол в прошедшем времени + БЫ»
> *Например:* Не могли бы Вы информировать нас...
> Мы хотели бы предложить вам...

Упражнение 5. Измените предложения по модели.

Модель 1: Информируйте, пожалуйста, об изменениях условий.

Не могли бы вы информировать об изменениях условий.

1) Отправьте, пожалуйста, копии контракта.

2) Направьте, пожалуйста, нам программу для участников в выставке «Образование и карьера».

3) Решите, пожалуйста, вопрос в самое ближайшее время.

4) Организуйте, пожалуйста, встречу и размещение нашего представителя.

5) Уточните, пожалуйста, сроки выполнения заказа.

6) Сообщите, пожалуйста, номера моделей.

Модель 2: Мы хотим пригласить вас на выставку, которая пройдет в Экспоцентре 21 сентября.

Мы хотели бы пригласить вас на выставку, которая пройдет в Экспоцентре 21 сентября.

1) Мы хотим уточнить дату и время встречи.

2) Мы хотим согласовать цену на компьютеры.

3) Мы хотим получить документы не позднее чем за 1 неделю до выезда студентов.

4) Мы хотим, чтобы вы выслали нам каталог.

5) Мы хотим поблагодарить вас за приглашение посетить вашу фирму.

Упражнение 6. Прочитайте образец письма и определите, к какому типу оно относится.

«Кронос-М»
генеральному директору
г-ну Богомолову В.П.

исх.   № ___31-224/04.15___
от «_01_» ____04____ 200_4_ г.

Уважаемый г-н Богомолов,

мы ознакомились с рекламой и программой работы вашего выставочного Центра. Направляем вам заявку на участие в экспозиции с 20 по 30 мая с. г.

Просим включить нашу фирму в число участников выставки.

С наилучшими пожеланиями

Директор   В.П. Зотов

Приложение: план экспозиции на 3 л. в 2 экз.

7. Заключительная формула вежливости

ЗАПОМНИТЕ

Варианты заключительной формулы вежливости

С уважением...

С наилучшими пожеланиями

С наилучшими пожеланиями и надеждой на сотрудничество

Всегда рады оказать вам услугу.

Надеюсь на дальнейшие добрые и взаимовыгодные отношения.

Заранее благодарим.

С интересом ждем от вас новых предложений.

Мы уверены, что недоразумение будет улажено в ближайшее время.

Мы надеемся, что вы оцените преимущества нашего проекта и примете участие в (...).

Убедительно просим вас ответить до.../ в самые короткие сроки.

ИНСТРУКЦИЯ

Если в начале письма была использована форма «Уважаемый...», то завершать письмо формой «С уважением...» не следует.

8. Приложение указывается после основного текста.

Например:
- Приложение: на 10 л. в 1 экз.
- Приложения:
    1. Счёт-фактура на 1 л. в 2-х экз.
    2. Прайс-лист на 2 л. в 1 экз.

ДОПОЛНИТЕЛЬНЫЙ МАТЕРИАЛ ━━━━━━━━━━

Русские мужские и женские имена

Упражнение 7. Прочитайте вслух русские мужские и женские имена.

Иван	Анна
Владимир	Ольга
Виктор	Ирина
Александр	Татьяна
Фёдор	Мария
Пётр	Наталья
Андрей	Вера
Николай	Надежда
Сергей	Любовь
Алексей	Екатерина
Леонид	Елена
Дмитрий	Людмила
Вячеслав	Галина

Отчество — это часть полного имени русского человека. Оно образовано от имени отца и стоит после полного личного имени. Имя с отчеством используется в официальной речи.

Русские отчества образуются при помощи суффиксов -(О)ВИЧ, -(Е)ВИЧ; -(О)ВНА, -(Е)ВНА

Иван	+	ОВИЧ	=	Иванович
Алексей	+	ЕВИЧ	=	Алексеевич
Иван	+	ОВНА	=	Ивановна
Алексей	+	ЕВНА	=	Алексеевна

Упражнение 8. Образуйте отчества от приведённых ниже имён. Запишите их.

Владимир _____

Виктор _____

Александр _____

Пётр _____

Андрей _____

Николай _____

Сергей_____

Алексей _____

Леонид _____

Дмитрий_____

Вячеслав_____

В русском языке есть полные и неполные формы имени. Полное имя — это официальная форма, записанная в документах. Полным именем называют человека в официальной обстановке. Имена Иван, Алексей, Ольга — полные. В неофициальной обстановке обычно люди называют друг друга неполным именем. Неполным именем пользуются и друзья, когда обращаются друг к другу.

Упражнение 9. Образуйте полные формы имён от кратких.

Ваня _____   Аня _____

Володя, Вова _____   Оля _____

Витя _____   Ира_____

Саша_____   Таня _____

Петя _____   Маша, Маруся _____

Миша_____   Наташа _____

Коля _____   Вера _____

Сережа _____   Надя _____

Алёша, Леша_____   Люба_____

Леня _____   Катя _____

Дима, Митя _____   Лена _____

Слава _____   Люда, Мила _____

Толя _____   Галя_____

Урок 4
ВНЕШНЯЯ ДЕЛОВАЯ ПЕРЕПИСКА

ТЕКСТЫ
Письмо-просьба. Письмо-запрос

ДОПОЛНИТЕЛЬНЫЙ МАТЕРИАЛ
Образование русских фамилий

СЛОВАРЬ УРОКА

возвращать/вернуть + Acc (что?) + Dat (кому?)

выделять/выделить + Acc (что?) + Dat (кому?)

иллюстрированный

использовать + Acc (что?)

коммерческое предложение

компенсировать + Acc (что?) + Dat (кому?)

кредитование

кредитовать + Acc (кого? что?)

недоразумение

обращаться/обратиться (с просьбой) + Dat (к кому?) = просить + Acc (кого?)

обсуждать/обсудить + Acc (что?)

обсуждение

оказание

оплачивать/оплатить + Acc (что?)

оплата + Gen (чего?)

определённый

оптовый

отзывать/отозвать = вернуть + Acc (что?)

оформление

перерасход

повреждение

поддерживать/поддержать + Acc (кого?)

поддержка

постоянный

пошлина

приостанавливать/приостановить + Acc (что?)

присылать/прислать + Acc (что?) + Dat (кому?)
производимый
производить/произвести + Acc (что?)
просить + Acc (кого?) = обращаться/обратиться (с просьбой) + Dat (к кому?)
протокол
резервировать/зарезервировать + Acc (что?)
розничный
скидка = дисконт
специалист
спецификация
средство
ссылаться — сослаться + Acc (на что?)
ссылка

стандарт
стоимость = цена
счёт-фактура
тариф
увеличивать/увеличить + Acc (что?)
увеличение
улучшать/улучшить + Acc (что?)
улучшение
усиление
усиленно
усиливать/усилить + Acc (что?)
ускорение
ускорять/ускорить + Acc (что?)
ущерб
хлорировать
электроэнергия

ПИСЬМО-ПРОСЬБА

Как следует из самого термина, письмо-просьбу составляют, чтобы изложить просьбу, получить информацию, услуги, товары.

просить + Inf
обращаться с просьбой + Prep (о чём?) = просить

ЗАПОМНИТЕ КЛИШЕ

Прошу Просим	(вас)	прислать выслать направить сообщить подтвердить оплатить отозвать вернуть	+ Acc

Упражнение 1. Составьте и запишите предложения, используя слова из разных колонок.

Прошу Просим	вас	прислать выслать направить сообщить подтвердить оплатить указать вернуть	каталог коммерческое предложение информация стоимость оплата счёт-фактура цена второй экземпляр договора

Упражнение 2. Составьте предложения с глаголом **просить**, не используя местоимения Я и МЫ.

Модель 1: ~~Я~~ Прошу информировать об изменении даты или времени.

~~Мы~~ Просим информировать об изменении даты или времени.

«Фирма-М» просит информировать об изменении даты или времени.

«Фирма-М»	выслать коммерческое предложение направить информацию сообщить примерную стоимость произвести оплату страхового взноса компенсировать ущерб обеспечить безопасность компенсировать ущерб зарезервировать 12 номеров в гостинице

Модель 2: Компания «Фирма-М» обращается с просьбой о принятии мер по ускорению отгрузки.

«Фирма-М» обращается с просьбой о	предоставление визовой поддержки подтверждение оплаты; перенесение срока оплаты предоставление скидки; обеспечение запасными частями (запчастями)

ПИСЬМО-ЗАПРОС

Письмо-запрос составляют и направляют, когда невозможно решить вопрос лично или по телефону.

Как правило, запрос состоит из двух частей:

1) введение (мотивация, причина и цель обращения);

2) заключение (вопросы, на которые ожидается ответ адресата).

При необходимости в текст письма включают ссылки на устную договорённость, достигнутые решения, прежние письма, нормативные акты.

Письмо-запрос можно представить в виде бланка, шаблона. Информация, которая меняется, дописывается.

Приведём образцы заполненного и незаполненного бланка.

«_3_» _октября_ 20_08_ г.

Просим Вас выслать в наш адрес _иллюстрированные каталоги и прейскуранты_

в _3 (трех)_ экземплярах на _производимое вами оборудование_

С уважением

«___» _____ 20____ г.

Просим вас выслать в наш адрес _____

_____

в _____ экземплярах на _____

С уважением

Упражнение 3. Заполните бланк, пользуясь следующей информацией.

Вариант 1: Нужно купить 2 станка модель XIL до 15.03.2009 на условиях «С завода» в ящиках. Качество товара: согласно государственному стандарту.

Вариант 2: Нужно купить 100 кг зерна (в мешках) до 30.07.2009 на условиях ДДУ через 3 месяца с даты письма. Качество: согласно спецификации.

ПИСЬМО-ЗАПРОС

«_____» _____ 20___ г.

Касательно: _____

(наименование товара)

Просим вас сделать предложение* на _____

_____

(наименование товара)

Количество _____

_____

Качество _____

Срок поставки _____

Условия поставки _____

Упаковка _____

С уважением

«_____» _____ 20___ г.

Касательно: _____

(наименование товара)

Просим вас сделать предложение* на _____

_____

(наименование товара)

Количество _____

_____

Качество _____

Срок поставки _____

Условия поставки _____

Упаковка _____

С уважением

---

* предложение (здесь) – оферта

> Мы прочитали вашу рекламу в ...
> Мы узнали о товарах вашей компании из ...

Письмо-запрос обычно начинают с введения, в котором называют причину или цель обращения. В некоторых случаях ссылаются на документ, который послужил основанием для действий авторов письма.

Например:

В соответствии с п. 13 статьи 22 Закона «О рынке ценных бумаг» от 27 июня 2004 г.

Ссылаясь на ваше письмо от 24 апреля с. г. № 243/2, в котором вы предлагаете пересмотреть условия кредитования...

Для указания на причину составления письма используют клише.

На основании + Gen	телефонного разговора
Согласно + Dat	протоколу
Ссылаясь на + Acc	ваше письмо № протокол
В соответствии с + Inst	решением банка
В связи с + Inst	изменением цен решением

Упражнение 4. Соедините слова из левой и правой колонки по смыслу.

На основании + Gen	протокол, заявление, контракт, счет-фактура
Согласно + Dat	договор, протокол телефонный разговор условие контракта
Ссылаясь на + Acc	предложение ваше гарантийное письмо ваше подтверждение наш телефонный разговор
В соответствии с + Prep	протокол, заказ решение, условие наша устная договоренность телефонный разговор от 27 марта

ИНСТРУКЦИЯ

При указании на желательность результата используют конструкции с предлогами: **для** + **Gen** и **в целях** + **Gen**.

Упражнение 5. Составьте словосочетания с предлогами **для** и **в целях**.

Модель 1: Усиление контроля — для усиления контроля

заказ товара — ...

оформление визы — ...

оформление дисконта — ...

подтверждение информации — ...

получение товара — ...

изменение условия — ...

уточнение даты — ...

Модель 2: Усиление контроля — в целях усиления контроля

эффективное обеспечение — ...

быстрое решение вопроса — ....

увеличение кредитования — ....

ускорение поставки — ...

улучшение работы — ...

ИНСТРУКЦИЯ

При указании на нежелательность результата используют конструкции с предлогам **во избежание** + **Gen**.

Упражнение 6. Составьте и запишите словосочетания с предлогом **во избежание**.

Модель: ошибка — во избежание ошибки

конфликтная ситуация —.... проблема —....

конкуренция —.... ущерб —....

дефицит —.... рекламация —....

недоразумение —...

Для выражения просьбы используют модели:

Просим сообщить дату (Acc).

Просим прислать предложение (Acc) на поставку (Acc).

Упражнение 7. Закончите предложения.

1) В целях улучшения нашего сервиса _____
_____

2) В целях быстрого решения вопроса _____
_____

3) Для ускорения транспортировки товаров _____
_____

4) Для оформления визы _____
_____

5) Во избежание конфликтной ситуации _____
_____

6) Во избежание рекламации _____
_____

Упражнение 8. Прочитайте образец письма-запроса и найдите клише, использованные в этом письме.

О запросе предложения
на поставку техники

Уважаемые господа,

мы узнали о товарах вашей компании из рекламы на выставке Chaos Constructions'2008, которая проходила в Санкт-Петербурге.

Просим выслать по нашему адресу предложение в двух экземплярах на поставку большой партии техники производства Японии. В предложении просим указать розничные и оптовые цены, сроки поставки, стоимость транспортировки, форму оплаты.

При ответе просим ссылаться на номер этого письма.

Заранее благодарим, надеемся, что наше сотрудничество будет плодотворным.

Директор   А.П. Голубев

Упражнение 9. Заполните матрицу, пользуясь следующей информацией.

• Директор: Вакутагин Олег Викторович
  Нужно: 13 (тринадцать) комплектов мини-АТС

_____

_____

«___» _____ 20___ г.

_____,

Просим вас выслать по нашему адресу _____ (_____)

_____

С наилучшими пожеланиями, _____

- Директор: Григорьева Евгения Сергеевна
  Нужно: 23 (двадцать три) пособия с кассетами и сертификаты

_____

_____

«___» _____ 20___ г.

_____,

Просим вас выслать по нашему адресу _____

_____

С наилучшими пожеланиями, _____

- Адрес: отдел кредитования
  Нужно: письмо Банка № 1 от 01.12.2007; счет-фактуру; требование на оплату Банку № 2 от 25.01.2007

_____

_____

«___» _____ 20___ г.

_____,

Просим вас выслать по нашему адресу _____

_____

С наилучшими пожеланиями, _____

Упражнение 10. Напишите запрос в фирму «ВариантЫ». Генеральный директор фирмы «ВариантЫ» Огненков Олег Сергеевич. Фирма продаёт компьютеры. В письме вы должны:

1) назвать мотивацию письма;

2) спросить об условиях покупки компьютеров;

3) спросить о сроке, цене, дате и условиях поставки компьютеров;

4) спросить, может ли фирма «ВариантЫ» сделать скидку в размере 10 %;

5) попросить прислать информацию о гарантиях, а также о возможности возврата или обмена компьютера;

6) попросить ответить в течение недели.

«_____» _____ 20____ г.

Образование русских фамилий

Официально русские фамилии появились в конце XIV века, и первыми фамилии получили князья и бояре, то есть привилегированная часть населения. Самая многочисленная часть населения — крестьяне не имела фамилий до XIX века. А некоторые из них получили фамилии только в 1930-е годы, когда проходила паспортизация населения.

Фамилии имеют разное происхождение. Выделяются несколько групп по происхождению.

1. Отымённые ⟶ христианские
⟶ нехристианские, языческие

2. Отпрозвищные ⟶ род занятий
⟶ свойство, качество личное или родственника

3. Оттопонимные

Первая группа. Фамилии, образованные от христианских имён и имеют суффиксы -ОВ/-ЕВ, -ИН: Иван — Иванов; Николай — Николаев; Илья — Ильин.

Фамилии, образованные от языческих имён или прозвищ: Волк — Волков; Чернак — Чернаков; Третьяк — Третьяков.

У язычников существовали имена-обереги, которые должны были «отвлекать» внимание злых духов: Некрас, Ненаш, Дурак и др. От таких имён образованы фамилии: Некрасов; Ненашев; Дураков и др.

Вторая группа. Фамилии, образованные от названий рода деятельности, занятий: гончар — Гончаров; мельник — Мельников; кузнец — Кузнецов, плотник — Плотников.

Фамилии, называющие личные качества человека или особенности его внешности: Кривов — «кривой», мог быть человек, например, с одним глазом; Худоногов — имеющий больные или худые ноги; Красин — «красивый».

Третья группа. Фамилии, произошедшие от названия географических объектов. По ним можно восстановить, откуда родом носитель фамилии: Тамбовцев, Ростовцев, Брянцев, Астраханцев, Смолянинов, Москвичев, Москвитинов.

Десять самых распространенных русских фамилий
1. Смирнов — смирный, тихий, послушный
2. Иванов — от имени Иван
3. Кузнецов — от профессии «кузнец»
4. Соколов — от названия птицы «сокол»
5. Попов — от прозвища «поп», «сын попа»
6. Лебедев — от названия птицы «лебедь»
7. Козлов — от названия животного «козел»
8. Новиков — новый житель, новый человек, чужой
9. Морозов — мороз, имя-прозвище Мороз
10. Соловьев — от названия птицы «соловей»

Упражнение 11. Выскажите предположение, к какой группе относятся фамилии.

Алексеев	Бабушкин	Бессольцев
Белов	Братухин	Васин
Воронин	Второв	Гагарин
Горелов	Горохов	Девятаев
Дедов	Денисов	Добровольский
Жуков	Зайцев	Зимин
Золотарёв	Карпов	Лютов
Маркин	Монахов	Ненашев
Новожилов	Носаев	Твердохлебов
Тихомиров	Ткачёв	Часовщиков
Шапкин	Шарин	Шеин
Щукин	Юрьев	Яблоков

Урок 5
ПИСЬМО-ПРОСЬБА. ПИСЬМО-ЗАПРОС. ПИСЬМО-ТРЕБОВАНИЕ

ТЕКСТЫ

Письмо-запрос. Письмо-требование.
Словосочетания «глагол + существительное, образованное от глагола». Использование глаголов несовершенного (НСВ) и совершенного (СВ) вида

ДОПОЛНИТЕЛЬНЫЙ МАТЕРИАЛ

Императив для выражения просьбы. Номенклатурные сокращения, обозначающие юридический статус предприятий, организаций

СЛОВАРЬ УРОКА

аварийный	деталь
арбитраж (Арбитражный суд)	дефект
безопасность	дефектный
брак	доброкачественный
бракованный	задерживать/задержать + Асс (что?)
брать/взять (на себя обязатсльства)	задержка
в наличии	задолженность = долг
возмещать/возместить (= компенси-	заключение (= резюме)
ровать) + Асс (что?)	закупка
выполнять/выполнить	замена

имеется + Асс (что?)

калькуляция = подсчёт

качественный

компонент

материальный ущерб

налог

независимый

нефтепродукт(ы)

обеспечивать/обеспечить

ответственность

отдельно

партия (товара)

перечисление

перечислять/перечислить + Асс (что?) + Dat (кому?) + Асс (куда?)

повреждённый

погашать/погасить (задолженность, долг)

подробный

показывать/показать + Асс (что?)

приём

продление

продлевать/продлить = пролонгировать

размещать/разместить

разница

расценки (= цены, стоимость)

рейс

реквизит (-ы)

снижать/снизить + Асс (что?)

состояние

страхование

страховка

суд

убыток (убытки)

устаревший

штрафной (штрафные санкции)

юридический (адрес)

СЛОВОСОЧЕТАНИЯ «ГЛАГОЛ + СУЩЕСТВИТЕЛЬНОЕ, ОБРАЗОВАННОЕ ОТ ГЛАГОЛА»

В деловом стиле часто употребляют сочетания

глагол + отглагольное существительное (Асс). Синонимом такому словосочетанию является глагол.

Например: произвести продажу = продать

оказать поддержку = поддержать

принять решение = решить

ЗАПОМНИТЕ

обратиться — обращение

стабилизировать — стабилизация

сбывать — сбыть

принимать — приём

устраивать — устройство

знакомиться — знакомство

Упражнение 1. Напишите глаголы, от которых образованы существительные.

(+ ЫВА-ТЬ)

вклад _____

заказ _____

показ _____

(+ А-ТЬ/+ Я-ТЬ)

встреч-а _____

работ-а _____

потер-я _____

по-иск _____

сдел-ка _____

закуп-ка _____

(+ И-ТЬ)

перевод _____

спрос _____

плат-ёж _____

оплат-а _____

оцен-ка _____

постав-ка _____

подготов-ка _____

достав-ка _____

(+ (О)ВА-ТЬ)

кредит _____

прода-жа _____

переда-ча _____

(+ ИРОВА-ТЬ)

контрол-ь _____

(+ Я-ТЬ)

выполн-ение _____

$\boxed{\text{+ Е-ТЬ}}$

смотр _____

Упражнение 2. *Образуйте от глаголов существительные по модели и запишите их.*

Модель: решать — реш-ЕН-ие

подтверждать — ...   получать — ...
предложить — ...   приобретать — ...
распределять — ...   выявлять — ...
оформлять — ...   осуществлять — ...
усложнять — ...   увеличить — ...
устранять — ...   размещать — ...
перечислять — ...

Упражнение 3. *Напишите глаголы, от которых образованы существительные.*

Модель 1: кредитование — кредитовать

требование — ...
планирование — ...
моделирование — ...
комбинирование— ...
рецензирование — ...

Модель 2: получение — получать

изучение — ...
установление — ...
объявление — ...
постановление — ...
оформление — ...

Упражнение 4. *Образуйте словосочетания по модели.*

Модель: установить (Acc) деловые контакты — установление (Gen) деловых
            контактов

подтвердить получение — ...   заключить сделку — ...
погасить задолженность — ...   установить (снизить) цену — ...
выставить (оплатить) счёт — ...   предоставить скидку — ...
выделить кредит — ...   осуществлять сбыт — ...

Упражнение 5. Замените выделенные глаголы устойчивыми словосочетаниями и запишите их.

1) Просим вас **оплатить** счёт не позднее указанного в договоре срока.

2) Просим вас **помочь** в размещении группы туристов в отеле «Россия».

3) Наша фирма просит **оценить** аварийное состояние здания и подсчитать расходы на ремонт.

4) Просим **поддержать** нашего кандидата.

5) Просим **кредитовать** нашу фирму на сумму в 1 000 000 (один миллион) рублей.

6) Прошу вас **закупить** компьютеры для учебного центра.

ПИСЬМО-ТРЕБОВАНИЕ

Письмо-требование оформляют на бланке организации. Цель письма-требования — заставить адресата выполнить обязательства договора. В письме-требовании дают ссылки на конкретные документы, излагается суть ситуации, формулируют требования, называют меры, которые будут приняты.

заменять	+ Acc (что?) + Inst (чем?)
	+ Acc (что?) + на Acc (что?)
замена	+ Gen (чего?) + на Acc (что?)

Например:
заменить дефектную деталь качественной
заменить дефектную деталь НА качественную
замена дефектной детали качественной
замена дефектной детали НА качественную

Упражнение 6. Образуйте подобные словосочетания и запишите их.

Модель: дефектная деталь ≠ качественная деталь
            заменить дефектную деталь НА качественную

бракованная (от слова «брак») партия ≠ качественная партия;

_____

повреждённые товары ≠ новые товары;

_____

некачественный продукт ≠ доброкачественный продукт

_____

устаревшее оборудование ≠ новое оборудование

_____

нерабочие компоненты ≠ работающие компоненты

_____

Упражнение 7. Восстановите предложения, используя слово **который** в нужной форме.

Модель: Высылаем вам партию компьютеров, <u>которую</u> вы заказали.

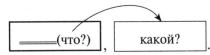

1) Просим заменить повреждённые товары, _____ мы получили. 2) Компания «Schutzumschlag» подготовила выставку, _____ прошла в Мюнхене. 3) Мы хотим поблагодарить за помощь, _____ _____ вы оказали нашему специалисту в получении визы. 4) Мы пригласили эксперта по вопросам кредитования, _____ ра-

ботает в Банке России. 5) Высылаем документацию, _____ вы просили приложить к образцам. 6) Прилагаем калькуляцию на отгруженный товар, _____ необходимо оплатить до конца месяца. 7) Наша фирма просит выслать каталог, _____ мы заказали в письме от 13.10.2009. 8) Вы должны компенсировать ущерб, _____ мы понесли при транспортировке компьютеров.

Упражнение 8. Заполните бланк, пользуясь следующей информацией.

Вы заказали 1500 компьютеров (партию компьютеров в количестве 1500 штук) в фирме «ОРИОН». Из этих компьютеров 5 штук — бракованные. Напишите письмо с просьбой их заменить. Используйте информацию:

- генеральный директор фирмы «ОРИОН» Афанасьева Ольга Валентиновна;
- ваш заказ № 2345 от 25 сентября 2008 г.

_____

_____

_____

_____

«_____» _____ 20___ г.

_____,

_____

_____

_____

_____

_____

_____

_____

Упражнение 9. Дополните предложения.

Слова для справки: перевести, заменить, погасить, возместить

1) В связи с изменением цен на нефтепродукты просим вас _____ на наш счёт сумму разницы.

2) В связи с серьёзными повреждениями товара при транспортировке просим вас ... повреждённый товар новым.

3) Настоятельно просим ... задолженность в трёхдневный срок.

4) Просим срочно ... убытки.

Слова для справки: допоставить, оплатить, кредитовать, снизить

5) Мы вынуждены вернуть всю партию бракованного товара и просим ... нашу фирму на сумму заказа.

6) При получении продукции мы обнаружили крупную недостачу, поэтому просим срочно _____ товар.

7) Просим _____ счёт в трехдневный срок.

8) Так как наш клиент хотел бы заказать крупную партию товара, мы просим _____ цену на 15 %.

Слова для справки: оформить, зарезервировать, компенсировать, пролонгировать

9) Прошу ... двухместный (трехместный) номер на период с _____ по _____ .

10) Мы готовы ... контракт на тот же срок и на тех же условиях, какие были предусмотрены ранее.

11) Просим ... материальный ущерб за задержку рейса на 48 часов.

12) Просим срочно ... визу для нашего представителя.

ИСПОЛЬЗОВАНИЕ ГЛАГОЛОВ НЕСОВЕРШЕННОГО (НСВ) И СОВЕРШЕННОГО ВИДА (СВ)

Глаголы НСВ обозначают незаконченное действие и действие совершаемое многократно.

Например: Вы должны оплачивать (регулярно, всегда) услуги по транспортировке в срок.

Глаголы СВ обозначаю законченное и однократно совершённое действие.

Например: Вы должны оплатить (один раз) услуги по транспортировке в срок.

Упражнение 10. Раскройте скобки и выберите глагол НСВ или СВ. Подчеркните правильный вариант. Если возможны оба варианта, то объясните почему.

1) Просим (сообщать/сообщить), какое количество товара вы можете выслать в первой партии.

2) Уже много лет мы (обеспечивать/обеспечить) точной и быстрой информацией.

3) Мы внимательно (изучать/изучить) ваш вопрос и (сообщать/сообщить) наше решение.

4) Мы хотели бы (получать/получить) скидку в размере 15 %.

5) Мы хотели бы (продливать/продлить) гарантийный период на 6 месяцев.

6) Просим вас (показывать/показать) в счетах отдельно стоимость страхования.

7) Мы хотели бы (размещать/разместить) нашу рекламу в новом номере вашего журнала.

8) Просим (подтверждать/подтвердить), имеется ли товар в наличии.

9) Просим (уточнить/уточнять) время и сроки поставки.

10) Просим (высылать/выслать) каталоги ваших товаров на 2009 год.

Упражнение 11. Придумайте окончания предложений.

1) Просим сообщить нам как можно скорее _____

_____

2) Сообщите нам, пожалуйста, расценки на _____

3) Мы бы хотели получить более подробную информацию о _____

_____

4) Просим оказать помощь в _____

_____

_____

5) Просим решить _____

_____

Упражнение 12. Прочитайте текст. Какие вопросы вы хотели бы задать автору письма для получения более детальной информации? Напишите эти вопросы. Напишите письмо-запрос и включите эти вопросы в текст вашего письма.

Уважаемые господа,

основным направлением нашей деятельности является оптовая продажа свежих овощей и фруктов. Фирма также занимается реализацией плодоовощных консервов, соков и сухофруктов. Наличие собственного автопарка позволяет нам своевременно и стабильно обеспечивать доставку свежей продукции. Мы заинтересованы в установлении новых контактов с предпринимателями и будем рады заключить долговременные договоры (на поставку нашей продукции) с магазинами, ресторанами, комбинатами общественного питания. (Более подробную информацию вы найдете на нашем сайте).

Вопросы:

_____

_____

_____

_____

«_____» _____ 20____ г.

Императив

Форма императива выражает просьбу, приказ, совет. С помощью императива говорящий сообщает о своём желании, чтобы то или иное действие было выполнено кем-то или, наоборот, не выполнялось.

Например: Напишите план работы на следующий месяц.

Не забудьте передать документы.

Важная особенность императивного высказывания состоит в том, что оно является одновременно и сообщением, и действием: говорящий не только сообщает о своём желании, но и пытается заставить адресата его выполнить.

Императив в русском языке при помощи окончаний -И (единственное число), -ИТЕ (множественное число).

• Если в форме первого лица единственного числа перед окончанием стоит гласный и ударение на окончании, то в императиве будет ударный и́:

получить — получУ — получИ (получИТЕ)

Упражнение 13. Образуйте форму императива от данных глаголов:

посетить	писать
сообщить	решить
подтвердить	уточнить
разместить	запросить
погасить	получить
оплатить	предложить

• Если в форме первого лица единственного числа перед окончанием стоит гласный (кроме Й), окончание безударное, то в императиве будет -Ь или -ЬТЕ:

быть — бу́дУ — будЬ (будЬТЕ)

Упражнение 14. Образуйте форму императива от данных глаголов:

проверить	доставить
обеспечить	поверить
увеличить	отправить
поставить	подготовить

• Если в форме первого лица единственного числа окончание -Ю после гласной или -ЬЮ, в императиве будет -Й или -ЙТЕ:

зарегистрировать — зарегистрирУЮ — зарегистрирУЙ — зарегистрирУЙТЕ

информировать	пролонгировать
зарезервировать	запланировать
кредитовать	гарантировать
контролировать	

• Глаголы НСВ с суффиксом -ВА- после корней -ДА-, ЗНА-, -СТА- сохраняют этот суффикс в императиве:

отдавать — отдаю — отдавай — отдайте

Упражнение 15. Образуйте форму императива от данных глаголов:

вставать	узнавать
доставать	открывать

• Глаголы СВ с корнем -ДА-, ЗНА- имеют в повелительном наклонении -Й:

отдать — отдай — отдайте
признать — признай — признайте

Урок 6
ВНЕШНЯЯ ДЕЛОВАЯ ПЕРЕПИСКА
(ПРОДОЛЖЕНИЕ)

ТЕКСТЫ

Информационное письмо. Причастие.
Полная и краткая формы

ДОПОЛНИТЕЛЬНЫЙ МАТЕРИАЛ

Языковые клише

СЛОВАРЬ УРОКА

администрация
ассортимент
бытовой (бытовая техника)
выделять/выделить
выполнение
выполнять/выполнить
высылать/выслать
действовать
долг
доставка
доставлять/доставить
завершать/завершить = закончить,
    окончить
завершение (= окончание)

закрывать/закрыть
закрытие
заменять/заменить
извещать/известить
извещение
изучать/изучить
изучение
информация
исправление
исправлять/исправить
контролировать
недвижимость
на уровне мировых стандартов
оканчивать/окончить

опаздывать/опоздать
оплачивать/оплатить
опоздание
осуществление
осуществлять/осуществить
отгружать/отгрузить
отгрузка
отдел = департамент
открывать/открыть
открытие
отмена
отменять/отменить
отправка
отправлять/отправить
отчёт
пересматривать/пересмотреть
перечисление
перечислять/перечислить
побеждать/победить
поздравлять/поздравить
покупатель
покупать/купить
поставщик = провайдер
празднование

презентация
проведение
проверка
проверять/проверить
проводить/провести
производитель
производить/произвести
производство
проконсультироваться
расти/вырасти
расширение
расширять/расширить
реконструировать
реконструкция
ремонт (ремонтные работы)
рост
сеть
скидка = дисконт
соответствовать
торговый (дом — ТД, центр — ТЦ)
уведомление
уведомлять/уведомить
уменьшать/уменьшить
упаковка

ИНФОРМАЦИОННОЕ ПИСЬМО

Информационные письма отправляют для извещения, уведомления, информирования о каких-либо событиях или фактах, которые представляют взаимный для автора и адресата интерес. Например, сообщение об оплате, отгрузке товаров и т. п.

К информационным письмам относят:

* рекламно-информационные письма;
* письма-уведомления;
* письма-напоминания и др.

> извещать = ставить в известность + Асс (кого?) + Prep (о чём?)
> уведомлять = информировать + Асс (кого?) + Prep (о чём?)
> сообщать + Dat (кому?) + Асс (что?)

Приведём образец информационного письма

УВАЖАЕМЫЕ КОЛЛЕГИ!

Наша Ассоциация приглашает вас принять участие в Форуме молодых учёных, запланированном в рамках Международной научно-практической конференции, который будет проходить 12—14 мая 2009 года.

Желающим принять участие в работе конференции необходимо **до 1 марта 2009 года** выслать на адрес forum@rambler.ru следующие документы:

1. Заявку участника;
2. Аннотацию к докладу (не более 1 стр. формата А4);
3. Отзыв научного руководителя с указанием его полного ФИО, ученой степени и звания. Отзыв должен содержать характеристику работы и рекомендацию к публикации её в сборнике научных материалов.

Организационный комитет оставляет за собой право конкурсного отбора заявок. В случае успешного прохождения конкурса автору будет направлено приглашение на конференцию.

Контактная информация:
телефон: (495) 000-0000
Виктор Алексеевич Ястребов

ИНСТРУКЦИЯ

Отличительная черта информационного письма в том, что его адресатом никогда не бывает один человек. Это всегда группа лиц или организация.

Одно и то же информационное письмо может быть направлено нескольким адресатам. В этом случае «АДРЕС» (02) оформляют обобщённо или не оформляют вообще.

Универсальное обращение:
* Уважаемые господа;
* Уважаемые дамы и господа;
* Уважаемые коллеги;
* Уважаемые покупатели и др.

При необходимости в информационное письмо включают рекламную информацию.

Информационные письма могут иметь приложение. Например, каталоги, приглашения на выставку, образцы продукции.

ЗАПОМНИТЕ

Стандартные речевые формулы, используемые в информационных письмах.
К вам обращается (обращаются)...;
Мы хотели бы привлечь ваше внимание к...;
Прошу рассматривать данное письмо как...
Мы будем рады, если...
Это событие представляет большое значение для...
Предстоящее мероприятие, несомненно, должно привлечь ваше внимание к...
Указанное событие задумано как праздник общественности...
Главными достоинствами...
Неоспоримыми преимуществами...
Важным дополнительным плюсом...
Ваше участие является необходимым...
Ваша поддержка будет крайне желательной...
Ваш выбор может иметь решающее значения для...
Нам было бы (будет) приятно увидеть вас на нашей презентации.

Среди речевых клише, употребляемых в информационных письмах, выделяют два основных типа: нейтральные и специальные.

Нейтральные клише, которые не несут эмоциональной нагрузки.

Сообщаем (вам)	
Ставим (вас) в известность	
Извещаем вас	
Информируем (вас)	, что...
Уведомляем (вас)	Prep (о чём?)
Доводим до (вашего) сведения (= сообщаем)	

Упражнение 1. Напишите заголовок (тему письма).

Модель: Начало ремонтных работ — уведомление о начале ремонтных работ

отправка товара — ...
получение счёта-фактуры — ...
закрытие фирмы (филиала) — ...
открытие выставки —...
изменение юридического адреса — ...
участие в комиссии — ...
отмена заказа — ...

Специальные клише имеют оценочность, используются в позитивном или негативном контексте.

Позитивный контекст:

(++) С удовольствием сообщаем...
Нам приятно сообщить...
Имеем честь поздравить (сообщить)...
С радостью сообщаем...

Негативный контекст:

(–) С сожалением сообщаем...
К сожалению, вынуждены (= должны) сообщить...

Упражнение 2. Составьте и запишите предложения, используя клише.

Модель 1: Вы — начало ремонтных работ
            Уведомляем вас о начале ремонтных работ.

1) Вы — отправка товара
2) Ваш филиал — окончание срока аренды
3) Ваш отдел (= департамент) — изменение реквизитов банка для оплаты
4) Поставщик (= провайдер) — опоздание отгрузки
5) Администрация — повышение стоимости аренды офиса
6) Вы — открытие счета в банке

Модель 2: ... специально для вас действует скидка 27 % на установку окон.
            С радостью сообщаем, что специально для вас действует скидка 27 % на установку окон.

1) _____ , что в нашей сети открылись новые офисы.

2) Уважаемые покупатели, _____ , вам о расширении ассортимента товаров.

3) _____ о выходе компакт-диска с мультимедийной презентацией Компании В.

4) _____ , что уже седьмой раз фирма ДЕАНТЕ удостоена титула «Предприятие Fair Play».

5) _____ , что после ремонта открылся 17-й этаж категории VIP-класса.

6) _____ , что празднование 30-го юбилея нашей компании состоится 28 и 30 апреля в бизнес-центре гостиницы.

7) _____ , что студент An O. Nymous победил в конкурсе и получает грант на выполнение проекта.

8) _____ вас с 10-летием вашей фирмы!

9) _____ с успешным завершением инвестиционного проекта по финансированию реконструкции компании «Нефтяные прииски» (НП).

10) _____ , что с 1 февраля стоимость доставки по России вырастет и составит 120 р. за заказ.

Упражнение 3. Составьте предложения по модели.

Модель 1: Мы планируем прибыть в Москву 2 февраля.

организовать частичные отгрузки
пересмотреть существующие цены
завершить ремонт до 31.12.2009.
изменить срок действия цен

Модель 2: Мы нашли возможность снизить цены.

закупить оборудование
заменить некоторые детали
заказать дополнительные материалы

Модель 3: Нам необходимо знать о дне прибытия товаров.

сроки отгрузки
цены на сырье
условия поставки
дата отгрузки

Модель 4: Мы хотели бы заключить с вами сделку.

заключить контракт
посетить завод-изготовитель
обсудить ваше предложение

Модель 5: К сожалению, мы не можем поставить вам эту модель.

заменить этот станок
помочь вам в этом вопросе
приехать на ваш завод в этом квартале

Модель 6: Может быть, вы найдете возможность нам помочь?

поставить нам несколько станков до конца года
заменить эту деталь
организовать посещение завода-изготовителя
снизить цену на оборудование

Модель 7: Нам необходимо связаться по телефону с заказчиками.

проконсультироваться со специалистами
изучить технические данные станка
сравнить цену с ценами конкурирующих фирм
уточнить сроки поставки

Модель 8: Надеюсь, вы получили наш ответ на ваш запрос.

каталоги
прейскурант
образцы
предложение

ПРИЧАСТИЕ: ПОЛНАЯ И КРАТКАЯ ФОРМЫ

Полную форму причастий в деловых письмах используют для выражения действия (отношения), тесно связанного с объектом, понятием или лицом.

Например: изучаемый проект
высланное предложение
принимающая сторона

ВИД	ЗАЛОГ			
	АКТИВНЫЙ		ПАССИВНЫЙ	
	Настоящее время	Прошедшее время	Настоящее время	Прошедшее время
НСВ (I)	**-УЩ-** **-ЮЩ-**	**-ВШ-** **-Ш-**	**-ЕМ-** **-ОМ-**	—
СВ (I)	—	**-ВШ-** **-Ш-**	—	**-НН-**
НСВ (II)	**-АЩ-** **-ЯЩ-**	**-ВШ-**	**-ИМ-**	—
СВ (II)	—	**-ВШ-**	—	**-ЕНН-** **-Т-**

Упражнение 4. По модели образуйте причастия активного залога.

Модель 1: Предлагать — предлагаЮТ — предлагаЮЩий (н. вр. НСВ)
Принимать — принимаВШий (пр. вр. НСВ)

Заказывать, заявлять, отправлять, оформлять, перечислять, подписывать, поздравлять, получать, посещать, поставлять, предлагать, предоставлять, приглашать, приобретать, покупать, продлевать, решать, сообщать, улучшать, увеличивать, устанавливать, уточнять, использовать, кредитовать, компенсировать, гарантировать, резервировать, контролировать, соответствовать.

Модель 2: Переводить — переводиВШий (пр. вр. СВ)

Обеспечить, обсудить, оказать, отправить, оформить, перечислить, подписать, подтвердить, поздравить, посетить, поставить, предложить, предоставить, предупредить, пригласить, приложить, разместить, решить, сообщить, увеличить, улучшить, ускорить.

контролировать руководить управлять торговать	осуществлять/осуществить	контроль руководство управление торговлю

проверять		проверку
ремонтировать		ремонт
покупать	делать/сделать	покупку
оформлять		оформление
оценивать		оценку

Упражнение 5. Замените на клише следующие словосочетания по модели.

Модель: Организация руководит — организация осуществляет руководство

Менеджер управляет, инспекция контролирует, фирма торгует, инспекция проверяет, представители покупают; сервисный центр ремонтирует, принимающая сторона оформляет визы, страховая фирма оценивает ущерб.

Упражнение 6. Образуйте пассивные причастия по модели.

Модель 1:   изучать — изучаЕМ — изучаЕМый (-ая, -ое, -ые)
   (НСВ) производить —производИМ — производИМый
          (-ая, -ое, -ые)

выделять кредит _____

высылать запрос _____

отгружать товары _____

оформлять документы _____

оплачивать счёт _____

подписывать контракт _____

направлять письмо _____

решать вопрос _____

исправлять ошибки _____

изучать акт _____

проверять отчёт _____

Модель 2:   прочитать — прочитаННый (-ая, -ое, -ые)
   (СВ) выполнить — выполнЕННый (-ая, -ое, -ые)
          закрыть — закрытый (-ая, -ое, -ые)

решить вопрос _____

подписать документы _____

проверить факты _____

заменить товар _____

открыть счёт/фирму _____

использовать кредит _____

подписать контракт _____

направить каталог _____

оформить предложение _____

исправить ошибки _____

оплатить долг _____

отправить модели _____

подготовить заказ _____

ЗАПОМНИТЕ

Порядок образования причастий с корнем -НИМ-
Понимать — понятый,   занимать (время, место) — занятый
снимать (офис) — снятый,   поднимать (цену) — поднятый
нанимать (на работу) — нанятый

Упражнение 7. Поставьте причастие, данное в скобках, в нужной форме.

1) Упаковка (полученный) товара не соответствует (установленный) стандартам.

2) Поставка товаров, (проданный) по контракту, будет производиться по реквизитам (указанный) в спецификации.

3) (перечисленный) документы должны быть высланы не позднее 3-х дней с момента получения письма.

4) Товары по ассортименту, количеству, ценам и сроки должны соответствовать Приложению 1, (являющийся) неотъемлемой частью соглашения.

5) Качество поставляемого товара должно соответствовать (действующий) государственным стандартам.

6) Оборудование должно отгружаться в упаковке, (соответствующий) характеру поставляемого товара.

7) В приложении высылаем вам два экземпляра документации и сертификат о качестве оборудования, (подтверждающий) его соответствие условиям контракта.

Упражнение 8. Образуйте краткие причастия.

Модель 1: Высланный — выслан (-а, -о, -ы)
Модель 2: Занятый — занят (-а, -о, -ы)

установленный	усиленный	подтверждённый
улучшенный	зарезервированный	принятый
уменьшенный	решённый	приобретённый
увеличенный	открытый	закрытый

Упражнение 9. Образуйте по предложенной модели краткую форму причастия и запишите словосочетания.

Модель: Выполнили заказ — заказ выполнен

выслали комплекты документов _____

рассмотрели вопрос _____

получили контейнеры _____

передали счёт-фактуру _____

подготовить заказ к выдаче _____

компенсировать ущерб _____

указали цену _____

Упражнение 10. Прочитайте текст. Найдите в нём признаки информационного письма.

«11» августа 2008 г.

О выставке бытовой техники

Уважаемые господа,

мы хотели бы привлечь ваше внимание к тому, что с 4 по 12 сентября в Центральном выставочном комплексе будет проводиться выставка бытовой техники.

Мы рады сообщить вам, что на выставке будут представлены наши товары. Некоторые из наших новых моделей могут быть для вас особенно интересны. Нам было бы приятно, если бы вы смогли посетить выставку и наш стенд № 17, который находится в выставочном зале № 5.

Прилагаем несколько билетов на выставку.

Директор   Г.П. Зотов

Упражнение 11. Прочитайте текст. Какие вопросы вы хотели бы задать автору письма для получения более детальной информации, если вас заинтересовало его предложение? Напишите эти вопросы.

Уважаемые господа,

как нам известно, вас может заинтересовать импорт персональных компьютеров для продажи в России, поэтому мы хотели бы представить вам нашу фирму. Наши компьютеры хорошо известны на мировом рынке. Мы считаем, что можем предложить вашим покупателям наши изделия и их обслуживание.

Я прилагаю иллюстрированный каталог наших изделий.

Нас очень интересует ваше мнение о возможности бизнеса между нами. Мы готовы удовлетворить специфические требования индивидуальных крупных заказчиков.

Если вы заинтересуетесь, вам, конечно, потребуется дополнительная информация, включая цены и образцы. Мы с удовольствием вышлем вам всё необходимое и надеемся получить от вас положительный ответ.

Вопросы:

_____

_____

_____

_____

_____

Упражнение 12. Составьте информационные письма, пользуясь приведёнными сведениями.

• Адресат: генеральный директор Осипова Ольга Юрьевна
Адрес: ООО «Фирма»
Информация: вы подготовили заказ вашего клиента к выдаче в понедельник 19 августа с.г.

• Адресат: начальник рекламного отдела Филиппов Сергей Валентинович
Адрес: Торговый дом
Информация: организация (где работаете вы) получила заказ на рекламу. Ваша организация больше не делает рекламу и не выпускает журналы.
Новая редакция «Zeitung» находится в Цюрихе по адресу: Цюрих, ул. Мюлебах, 54.

_____
_____
_____

_____
_____

«_____» _____ 20____ г.

_____,
_____
_____
_____
_____
_____
_____
_____
_____
_____
_____
_____
_____

ДОПОЛНИТЕЛЬНЫЙ МАТЕРИАЛ

Словосочетания в деловой речи

Для языка делового общения типичны словосочетания, которые регулярно употребляют в устной и письменной речи. Эти словосочетания помогают быстро составить нужный документ.

Перечислим функции таких словосочетаний.

Квалифицируют или идентифицируют субъект:
- деловой человек = бизнесмен;
- генеральный директор = топ-менеджер;
- постоянный клиент;
- торговый агент;
- независимый эксперт;
- личный помощник.

Характеризуют субъект:
- специалист с большим опытом работы.

Описывают деятельность субъекта:
- торговый агент проводит сделку по продаже продукции.

С помощью устойчивых лексических сочетаний квалифицируют, характеризуют объект:
- страховое общество;
- безотзывный аккредитив;
- (без)наличный расчёт;
- расчётный счёт;
- коммерческая недвижимость;
- безупречная репутация;
- многолетний опыт работы;
- торговый дом.

Определяют качество, спецификацию объекта:
- качественный, доброкачественный ≠ дефектный, бракованный товар;
- повреждённая упаковка;
- устаревшая технология;
- товары имеют большой спрос на рынке;
- продукция на уровне мировых стандартов.

Определяют количество объектов:
- изделия в большом ассортименте;
- количество ограничено.

Обозначают оценку объекта:
- надёжный хостинг;
- престижная работа;
- ценный опыт для организации.

Описывают местонахождение объекта:
- Офис нашей компании находится по адресу: ...

Указывают место функционирования объекта:
- Офисные переезды и грузовые перевозки по Москве и Московской области.

Называют действия объекта:
- доставка товара;
- ввоз/вывоз;
- транспортировка грузов.

Обозначают связи и отношения:
- соответствие/несоответствие;
- в надлежащем порядке.

Урок 7
ПИСЬМО-НАПОМИНАНИЕ

ТЕКСТЫ

Письмо-напоминание. Обозначение промежутка времени (во время/в течение). Обозначение промежутка времени со значением «срок — процесс — результат». Причастие, причастный оборот.
Конструкции со словом «который»

ДОПОЛНИТЕЛЬНЫЙ МАТЕРИАЛ

Числительные с предлогами

СЛОВАРЬ УРОКА

аннулировать	(что?)
абонементный	данные = информация
безотлагательно	до настоящего времени
бесплатный	долг (= задолженность)
бронировать/забронировать + Acc (что?) + Gen (для кого?)	должник
бронь	домашний обиход
включать/включить + Acc (что?) в/на + Acc (куда?)	дополненный
	досрочно
	достаточный опыт (хороший опыт)
встреча	жёсткие меры
вторично = повторно	заканчивать/закончить + Acc (что?)
выставлять/выставить (счёт) + Acc	замечание

заменённый

изменяться/измениться+Acc (что?)

иметь право + Acc (на что?) = мочь

импортный

использованный

код

командировать(-ся) + Acc (куда?)

конференция

крайний = последний срок

междугородний

незамедлительно

необходимо = нужно

необходимость

обменивать/обменять + Acc (что?) + Acc (на что?)

обновление

оборудование

обращаться/обратиться + Dat (к кому?) + Acc (куда?)

обслуживание = сервис

объявление

ожидать = ждать

останавливать/остановить + Acc (что?)

отключать/отключить + Acc (что?)

офисный центр

переговоры

перекладывать/переложить + Acc (что?) (ответственность) + Acc (на кого? что?)

перерыв

плата

повторно

погашать/погасить + Acc (что?) задолженность, долг

погашение

подготовка

полностью

помочь

представительство

предъявлять/предъявить + Acc

приближение

прибытие

проживание

противный = противоположный

редакция

санкция

сезонный

склад

снижать/снизить + Acc (что?)

снижение

согласие

составлять/составить = равняться

спонсор

спонсорский

труд

тур

уточнённый

физический (адрес, лицо)

штраф

ПИСЬМО-НАПОМИНАНИЕ

Письмо-напоминание направляют, когда организация-партнёр не выполняет свои обязательства, договоренности и т. д.

Такое напоминание нужно для того, чтобы письменно зафиксировать факт нарушения норм или правил, невыполнения договоренностей. Обычно письма-напоминания используют, когда не удаётся получить ответ с помощью телефонных переговоров, личных встреч.

Основной текст письма-напоминания, как правило, состоит из двух частей:

1) ссылка на официальный документ, в котором зафиксированы обязательства сторон или обстоятельства, в связи с которыми организация обязана предпринять определенные действия;

2) просьбы выполнить те или иные действия.

> НАПОМИНАТЬ + Prep (о чём?)
> ОБРАЩАТЬ ВНИМАНИЕ (НА) + Асс (что?)
> СТАВИТЬ В ИЗВЕСТНОСТЬ + Prep (о чём?) и т. п.

Структура письма-напоминания.

1. **Указание на документ**, в котором зафиксирована договоренность (заказ со сроком поставки, акт и т. д.).

2. **Просьба** выполнить договоренность и, возможно, указание дополнительного срока.

3. **Указания на последствия**, санкции (штраф), если адресат не выполнит обязательства.

напоминание:	неоднократное, вторичное
напоминаем:	вторично, повторно
меры:	жёсткие, крайние
Напоминаем, что Вторично напоминаем вам, что	с 1 декабря изменились междугородные телефонные коды Москвы.

	Асс (что?)	изменение телефонных кодов
Обращаем ваше внимание на	то, что	с 1 декабря изменились телефонные коды.
Еще раз (= повторно) просим	выслать нам заказанную партию товаров.	

Для указания на последствия невыполнения требований используют клише.

		обратиться в суд;
В противном случае В случае невыполнения	мы будем вынуждены мы оставляем за собой право	переложить ответственность за убытки на вас; удержать ... (сумму); предъявить штрафные санкции.
	нами будут приняты ... (меры)	

Упражнение 1. Прочитайте текст. Какие вопросы вы хотели бы задать автору письма для получения более детальной информации? Запишите эти вопросы.

«11» июня 2008 г.

Уважаемые дамы и господа,

мы всё ещё ожидаем поставку соковыжималок «Regina», заказ № 3654 со сроком доставки до 05.05.2008.

Считаем необходимым ещё раз напомнить, чтобы вы отправляли предметы домашнего обихода безотлагательно.

В случае невыполнения заказа до 15.06.2008 мы будем вынуждены отказаться от вашей поставки и сделать закупку в другой фирме.

Директор   И.В. Филатова

Вопросы:

_____

_____

_____

_____

_____

_____

_____

Упражнение 2. Используя клише урока, дополните предложения.

1) _____ товар не резервируется на складе до момента подтверждения заказа.

2) _____ мы всё ещё ожидаем ваши товары со сроком поставки до 25.07.2008. _____ сообщить о причине задержки и сроке поставки.

3) _____ является должником по абонентской плате за пользование услугами мобильной связи. Задолженность на август 2008 года составила 14 500 рублей. _____ срочно произвести оплату и сообщить об этом по телефону 0000000. _____ _____ мы будем вынуждены отключить ваши телефоны.

4) _____ срочно обеспечить отгрузку товаров. _____ _____ в соответствии с п. 3.5. нашего договора предъявить штрафные санкции в размере 0,01 % от общей стоимости договора за каждый день задержки.

5) _____ срок окончания приёма заявок — до 18.00 часов 7 октября 2005 года. Дата начала приёма заявок: 23 августа 2005 года.

6) _____ на обновление тарифов на расчётно-кассовое обслуживание юридических и физических лиц. Изменения вводятся с 9 июня 2008 года.

7) _____ наш заказ № 2233 от 13.10.2008 до настоящего времени нами не получен.

8) _____ заказанные продукты питания должны отправляться вами незамедлительно.

9) _____ отгрузка товара будет остановлена, если вы не оплатите наш счет до 15.11.2008.

Упражнение 3. Составьте предложения по модели.

Модель: Напоминаем — срок поставки
         Напоминаем о сроке поставки.

1) Напоминаем (необходимость) заключения договора на 2009 год.
2) Напоминаем (оплата) услуг по транспортировке.
3) Напоминаем (погашение) задолженности до 15.10.2009.
4) Напоминаем (замена) бракованных изделий.
5) Напоминаем (сезонное) снижение цен на одежду и обувь.
6) Напоминаем (приближение) срока оплаты налогов.

Упражнение 4. Прочитайте предложения. Соедините фразы левой и правой колонок по смыслу.

- Напоминаем, что по плану работ вы должны были закончить ремонт офисного центра до 01.06.2008.

- Еще раз обращаем ваше внимание на то, что адрес редакции изменился с 1 апреля.

- Вторично напоминаем, что ваш долг за 2007 год составляет $4000.

- Обращаем ваше внимание на изменение наших банковских реквизитов.

- Напоминаем, что забронированный тур должен быть оплачен в течение суток (24 часов) с момента бронирования.

- Пожалуйста, срочно оплатите ваш заказ.

- Пожалуйста, срочно отправьте наш заказ. Крайний срок поставки — 10 декабря 2008 г.

- Срочно оплатите ваш кредит.

- Просим производить оплату на наш новый счёт.

- Просим срочно оплатить транспортные услуги.

- Просим направлять ваши письма по адресу: Москва, ул. Краснова, ...

- Просим вас закончить его не позднее 01.08.2008.

- В противном случае мы будем вынуждены обратиться в суд.

- В случае невыполнения нами будут приняты жёсткие (крайние) меры.

- В противном случае данная заявка (бронь) аннулируется.

- В противном случае мы сделаем закупки в другой фирме.

ОБОЗНАЧЕНИЕ ПРОМЕЖУТКА ВРЕМЕНИ.
ПРЕДЛОГИ *ВО ВРЕМЯ/В ТЕЧЕНИЕ*

Предлоги *во время* и *в течение* обозначают определённый отрезок времени, в течение которого происходит действие.

ВО ВРЕМЯ + Gen	В ТЕЧЕНИЕ + Gen
Обычно используется со словами, обозначающими события: встреча конференция перерыв переговоры	Обычно используется со словами: минута час неделя месяц год

Например: Во время встречи стороны приняли решение продолжить сотрудничество.

Задолженность будет погашена в течение двух дней.

Упражнение 5. Выберите предлог **во время** или **в течение**.

1) Замечания и предложения неоднократно обсуждались ... конференции. 2) Просим подтвердить ваше согласие ... трёх дней. 3) Мы не можем получить наш товар ... двух недель. 4) ... последних переговоров условия контракта были полностью пересмотрены. 5) ... трёх месяцев нами было направлено уже четыре рекламации. 6) Приглашаем вас посетить наше представительство ... вашего пребывания в Москве. 7) Напоминаем вам, что вы должны выслать заявку ... 10 дней. 8) Настоятельно просим погасить вашу задолженность ... двух рабочих дней. 9) Предлагаем обсудить интересующие вас пункты договора ... нашей следующей встречи.

ОБОЗНАЧЕНИЯ ПРОМЕЖУТКА ВРЕМЕНИ
СО ЗНАЧЕНИЕМ «СРОК — ПРОЦЕСС — РЕЗУЛЬТАТ»

СРОК	на сколько + Acc	Оформить визу на год
ПРОЦЕСС	сколько + Acc	Оформлять визу 3 недели
РЕЗУЛЬТАТ	за сколько + Acc	Оформили визу за 3 недели

Упражнение 6. Измените предложения в соответствии со схемой «срок — процесс — результат».

1) Подготовка и оформление документов для получения визы (7—10 дней).

2) Предлагаем оформить кредит (6 месяцев).

3) Проект будет подготовлен и оформлен (10 рабочих дней).

4) Наш представитель командируется в Оренбург (2 недели).

5) Вопрос обычно изучается (2—3 дня).

6) Комиссия проверила документы (5 дней).

7) Наша фирма гарантирует заменить программное обеспечение (5 рабочих дней).

8) Гарантийное обслуживание (1 год).

ПРИЧАСТИЕ, ПРИЧАСТНЫЙ ОБОРОТ. КОНСТРУКЦИИ СО СЛОВОМ «КОТОРЫЙ»

Упражнение 7. Преобразуйте причастный оборот в конструкцию со словом **который**. Обратите внимание на место причастного оборота в предложении.

Модель 1: Покупатель, возвращающий товар...

Покупатель, (какой покупатель?) который возвращает товар...

1) Клиенты, заказывающие окна в кредит, получают скидку в 3 %.

2) Условия труда, гарантирующие безопасность для жизни и здоровья работника.

3) Спонсорская организация, оплачивающая 80 % стоимости обучения.

4) Сервисный центр, осуществляющий ремонт бытовой техники.

5) Клиент, бронирующий номер в гостинице, получает ИТ-номер.

Модель 2: Купленные в аптеке товары не обмениваются и не подлежат возврату.

Товары, (какие товары?) которые купили в аптеке, не обмениваются и не подлежат возврату.

6) Информацию, уточнённую и дополненную, отправили по e-mail.

7) Вы можете вернуть использованный кредит досрочно.

8) Клиент может оформить доставку подготовленного заказа на дом.

9) На зарезервированный товар предоставляются скидки от 10 до 25 %.

10) Необходимо прислать нам копию оплаченного счёта.

Упражнение 8. Определите, к какому слову относится конструкция со словом **который** и к какому слову относится причастный оборот. Подчеркните это слово.

Модель: Мы получили ваше письмо от 01.10.2008, в котором вы просите нас предоставить вам скидку в размере 25 %.

1) Просим внимательно изучить документацию на оборудование, которую прилагаем к нашему письму.

2) Просим внимательно изучить документацию на оборудование, которое вы заказали в октябре.

3) Мы хотели бы напомнить о вашем письме от 21 сентября с.г., в котором вы просили нас изменить форму оплаты.

4) Мы хотели бы напомнить об оплате, которую вы должны были произвести до 21 сентября с. г.

5) Напоминаем, что вы не выполнили условия контракта, в соответствии с которым предоставляется бесплатная медицинская помощь.

6) Предложения и замечания ваших клиентов, которые мы обсудили на встрече 17.05.2008, включены в контракт.

7) Работы, выполняемые этими фирмами, будут контролироваться квалифицированными специалистами.

8) Работы будут контролироваться специалистами, имеющими достаточный опыт и квалификацию в строительстве офисных центров.

Упражнение 9. Объедините два предложения в одно, используя слово **который** или причастный оборот.

1) Мы продаем оборудование. Все оборудование находится в рабочем состоянии.

_____

_____

_____

_____

2) Цены не включают импортные пошлины. Они должны быть оплачены покупателем оборудования.

_____

_____

_____

_____

3) На встрече мы сможем обсудить вопросы. Вопросы связаны с подготовкой и проведением выставки в России.

_____

_____

_____

_____

4) Просим вас изучить документы. Мы приложили документы к этому письму.

_____

_____

_____

_____

5) Мы гарантируем оплату за проживание в гостинице. Оплата будет произведена в течение двух рабочих дней с момента выставления счёта.

_____

_____

_____

_____

6) Мы получили ваше письмо. В письме вы сообщаете о прибытии в Россию специалистов вашей компании.

_____

_____

_____

_____

7) Мы хотели бы получить полную информацию о журналах. Мы хотели бы дать в этих журналах рекламные объявления.

_____

_____

_____

_____

8) Напоминаем, что до настоящего времени мы не получили необходимые данные. Эти данные необходимы для подготовки проекта.

_____

_____

_____

_____

9) На совещании мы будем обсуждать ваше предложение. Предложение касается сотрудничества.

_____

_____

_____

_____

Упражнение 10. Напишите письмо-напоминание пользуясь данной информацией.

• Адресат: генеральный директор фирмы «Фирма»
   Ярцева Ольга Алексеевна
Отправитель: вы — менеджер компании «Star»
Ситуация: фирма «Фирма» и ваша компания заключили контракт. По этому контракту фирма «Фирма» должна отремонтировать здание офисного центра до 01.07.2008. Ремонт сделан не был.
Ваша компания хочет дать дополнительный срок окончания работы — 01.12.2010.
Если офисный центр не будет отремонтирован в срок, то ваша фирма применит штрафные санкции.

• Адресат: генеральный директор фирмы «Олек»
   Коршунов Олег Федорович
Отправитель: вы — менеджер компании «Star»
Ситуация: компания «ОЛЕК» и ваша компания и заключили договор о продаже химикатов по цене € 600 за тонну. Вы должны были получить химикаты 01.06.2008. Вы их не получили.
Вы уже писали письмо-напоминание 15.06.2008.
Ваш клиент ожидает этот товар, поэтому вы хотели бы получить этот товар срочно (указать дату).
В случае невыполнения...

Числительные с предлогами

> в течение + числительное (Gen) + существительное (Gen)

Например: в течение 25 дней — в течение двадцати пяти дней

> в течение + числительное (Gen) + после + существительное (Gen)

Например: в течение 25 дней после поставки

> через + числительное (Acc) + существительное (Gen)

Например: через 5 дней— через пять дней

Упражнение 12. Составьте предложения по модели.

Модель 1: Заказ должен быть выполнен... (20 недель — получение контракта).
Заказ должен быть выполнен в течение 20 (двадцати) недель после получения контракта.

1) Письмо будет получено... (2 дня — отправка).

2) Прейскурант будет пересмотрен... (1 месяц — получение цен мирового рынка).

3) Сроки будут уточнены... (3 недели — подтверждение заказа).

4) Товар будет отправлен в порт... (10 дней — окончание упаковки).

Модель 2: Отгрузка начнётся... (2 недели — получение подтверждения о готовности товара).
Отгрузка начнётся через 2 недели после получения подтверждения о готовности товара.

1) Мы начнём упаковку... (2 дня — получение сообщения о дате прибытия парохода).

2) Вы получите телекс (1 час — отправка).

3) Мы вышлем вам прейскурант... (10 дней — получение запроса).

4) Поставки начнутся... (3 месяца — подписание контракта).

Урок 8
ПИСЬМО-ОТВЕТ

ТЕКСТЫ

Письмо-ответ. Активные и пассивные конструкции с субъектом и без субъекта. Деепричастие. Образование деепричастий

ДОПОЛНИТЕЛЬНЫЙ МАТЕРИАЛ

Паронимы

СЛОВАРЬ УРОКА

аккредитив
аренда
арендный
бензин
бренд
в качестве = как
в частности = особенно
в зависимости + Gen (от чего?)
вести (протокол, запись)
внимательно = тщательно
воздушный транспорт
высокие технологии (High-Tech)
выход на рынок
гарантийный период
дешеветь/подешеветь (на сколько?)

договоренность (устная, письменная)
жилищная программа
забронировать номер
заёмщик
изнашиваться = стареть, терять качество
инвестировать + Acc (что?) в/на + Acc (куда?)
индустрия
исходить + Gen (из чего?)
исходя + Gen (из чего?)
категория
конец
копия
марка

маркировка

нарушать/нарушить + Acc (что?)

нарушение

начало

начинать/начать + Acc (что?)

недостаток (недостатки)

номер (в гостинице)

объём

отклонять/отклонить + Acc (что?) = отказывать (кому?)/отказать + Gen (от чего?)

относительный (= релятивный)

перенос

период

погодные условия

положение (= ситуация)

пользоваться спросом

предложение

предоплата

предоставить = дать

прекращать/прекратить + Acc (что?)

прибор

продолжать/продолжить + Acc (что?)

производить оплату

пролонгировать = продлевать

публиковать/опубликовать + Acc (что?) в/на Prep (где?)

рассматривать/рассмотреть = (изучать/изучить) + Acc

рекламация

рентабельный

сбор

скидка

совет

совет директоров

совместный

соответствие (несоответствие)

состав

спрос

страховой (взнос)

строительство

сырьё

технические работы

транспортировать

тщательно = внимательно, детально

удобный

удовлетворить просьбу

указание

указывать/указать + Acc (что?)

устный

усвердить проект

утверждение проекта

ухудшение

филиал

финансировать + Acc

являться = быть + Inst (кем? чем?)

ПИСЬМО-ОТВЕТ

В тексте письма-ответа формулируют ответ на запрос, согласие на предложение или просьбу, отказ и так далее. Приведём образец такого письма.

Уважаемые господа!

В ответ на запрос сообщаем, что, к сожалению, мы не можем предложить приборы интересующей вас марки «The Best», так как они больше не выпускаются. Мы можем сделать твердое предложение на аналогичные приборы новой марки. Их цена немного выше, но они уже пользуются большим спросом.

Товар будет поставлен в течение трех месяцев с момента заказа. Небольшие партии этого товара могут быть поставлены воздушным транспортом.

Скидка предоставляется в размере от 2 до 5 % в зависимости от объёма поставки.

Платеж за данный товар осуществляется следующим образом:

— 5 % стоимости контракта выплачивается в течение двух недель со дня его подписания;

— 95 % — безотзывный аккредитив.

С наилучшими пожеланиями и надеждой на сотрудничество

Генеральный директор   С.П. Величко

ЗАПОМНИТЕ КЛИШЕ

	Нами получен ваш заказ № 000 от 00.00.2000 г.		
	Нами получено ваше письмо от 00.00.2000 г.		
	Нами получена ваша рекламация от 00.00.2000 г.		
В ответ на	+ Acc (что?)	ваш запрос ваше письмо вашу просьбу, рекламацию	сообщаем... предлагаем...

При составлении письма-отказа рекомендуется начинать с причины его написания, аргументации принятого решения:

Вследствие + Gen (чего?)

Ввиду + Gen (чего?)

По причине + Gen (чего?)

Мы не можем принять ваше предложение из-за + Gen (чего?)

В связи с + Inst (чем?)

К сожалению, удовлетворить вашу просьбу не можем, так как...

Предлагаемые вами сроки проведения + Gen (чего?) не...

Ваше предложение отклонено по следующим причинам: ...

Упражнение 1. Впишите в нужной форме слова и словосочетания.

Изменение цен на сырьё; несоответствие ваших действий договору; задержка получения груза; нарушение сроков; неполучение счёта-фактуры; тяжёлое положение; проведение совместных работ.

По причине _____

Ввиду _____

Вследствие _____

По причине _____

Ввиду _____

Вследствие _____

По причине _____

Упражнение 2. Закончите предложения, поставив слова в нужной форме.

В связи с...   ухудшение погодных условий...

задержка поставки товаров...

рост цен на бензин...

проведение технических работ...

перенос производства в Китай...

расширение бизнеса...

АКТИВНЫЕ И ПАССИВНЫЕ КОНСТРУКЦИИ

Для деловых писем типичны пассивные конструкции. В сообщении главным (Nom) является объект, а конструкция передаёт действие, которое с ним происходит.

1. Конструкции с субъектом

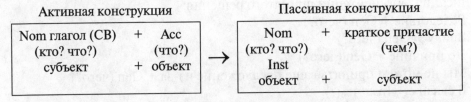

Активная конструкция

Nom глагол (СВ)	+	Асс
(кто? что?)		(что?)
субъект	+	объект

Пассивная конструкция

Nom	+	краткое причастие
(кто? что?)		(чем?)
Inst		
объект	+	субъект

Например:

Фирма «Р» произвела оплату счёта-фактуры.

Оплата (была) произведена фирмой «Р».

глагол (НСВ) Nom	$\rightarrow$	глагол + -СЯ Inst

Например:

Протокол ведет секретарь.   Протокол ведется секретарём.
Протокол вел секретарь.   Протокол велся секретарём.
Протокол будет вести секретарь.   Протокол будет вестись секретарём.

Упражнение 3. Преобразуйте активные конструкции в пассивные.

Модель: Мы направили вам каталог.
              Каталог направлен нами.

1) Мы выполнили ваш заказ. 2) Ваша фирма не оплатила страховой взнос. 3) Завод не указал цены. 4) Наша фирма компенсирует ущерб. 5) Правление банка изучает вопрос кредитования вашей организации. 6) Компания «ТРЕСТ» отгружает товары каждый месяц. 7) Наши клиенты получили каталог без цен на товары. 8) Фабрика произвела маркировку товара. 9) Высылаем документы и каталоги. 10) Наш клиент заявляет рекламацию на ваш товар. 11) Магазин предоставляет скидку 15 % на все товары до конца октября. 12) Наш магазин продлевает гарантийный период на 6 месяцев. 13) Высокие технологии обеспечивают качество нашей продукции.

2. Конструкции без субъекта

Активная конструкция		Пассивная конструкция
Acc + глагол (СВ)	$\rightarrow$	Nom + краткое причастие

Например:

Письмо получили 12.03.2008.   Письмо (было)получено 12.03.2008.
Оплату произвели в мае.   Оплата (была) произведена в мае.

Упражнение 4. Преобразуйте активные конструкции в пассивные.

Модель: Оплату произвели в мае.
              Оплата (была) произведена в мае.

1) Номер забронировали на 2 дня.
2) Стоимость транспортировки включили.
3) Две партии продукции отправили с опозданием.
4) Предоставили скидку на товары в размере 15 %.
5) В Баку закрыли филиал фирмы.

$4^1/_2$*

6) В ОАО «Ритм» изменили состав совета директоров.

7) Вариант договора исправили и дополнили.

8) Стоимость указали с НДС.

9) Оплату перечислили в евро.

10) В России подешевеют телефоны, так как отменили пошлины.

11) Финансирование жилищных программ увеличили на 2,5 млрд рублей.

12) Уменьшили сбор с операции купли-продажи валюты.

ДЕЕПРИЧАСТИЕ. ОБРАЗОВАНИЕ ДЕЕПРИЧАСТИЙ

Для деловой письменной речи характерно употребление деепричастий и деепричастных оборотов. С помощью деепричастного оборота называют причины принятого решения, приводят ссылки. *Например:*

Внимательно рассмотрев представленный к утверждению проект, плановая группа считает...

Учитывая ваши пожелания, ...

Тщательно изучив ваши замечания,...

Ссылаясь на ваш запрос,...

Учитывая сказанное выше (= вышесказанное),...

Учитывая, что...

Также деепричастия используют в клише для связи частей текста.
Например: Переходя к следующему вопросу,...

Исходя из вышесказанного,...

Подводя итоги,...

ИНСТРУКЦИЯ

Деепричастия несовершенного вида обозначают добавочное действие, происходящее одновременно с основным действием, названным сказуемым.
Например: Учитывая ваше замечание, предлагаем следующие условия договора.

Деепричастия НСВ (несовершенного вида) образуются от основы настоящего времени глаголов НСВ с помощью суффикса -А или -Я:

читают — читаЯ

фиксируют — фиксируЯ

После Ш Ж Ч Щ используют -А:

слышат — слышА

Упражнение 5. От данных глаголов образуйте деепричастия НСВ. Запишите их.

читать — читая

учитывать — _____   создавать — _____

заканчивать — _____   предоставлять — _____

выполнять — _____   представлять — _____

делать — _____   помогать — _____

решать — _____   работать — _____

продавать — _____   покупать — _____

напоминать — _____   считать (= думать) — _____

высылать — _____   сообщать — _____

предлагать — _____   продлять — _____

говорить — говоря

благодарить — _____   платить — _____

производить (оплату) — _____   переводить — _____

готовить — _____   переходить (к вопросу) — _____

подводить (итоги) — _____   исходить (из) — _____

информировать — информируют — информируя

планировать — _____

организовать — _____

кредитовать — _____

контролировать — _____

гарантировать — _____

использовать — _____

публиковать — _____

пролонгировать — _____

ИНСТРУКЦИЯ

Деепричастия совершенного вида обозначают добавочное действие, предшествующее основному, названному сказуемым.

Например: Приняв решение, пересылаем вам документы.

Деепричастия СВ образуются от основы инфинитива глаголов совершенного вида при помощи суффикса -В (-ВШИ), -ШИ, -А(-Я).

Например: получить — получив   объявить — объявив
истечь — истекши

В деловых документах наиболее употребительна форма с суффиксом -В-:

Упражнение 6. От данных глаголов образуйте деепричастия совершенного вида.

прочитать — прочитав (I спряжение)
объяснить — объяснив (II спряжение)

закончить — _____   создать — _____

выполнить — _____   предоставить — _____

сделать — _____   представить — _____

решить — _____   купить — _____

продать — _____   сообщить — _____

напомнить — _____   продлить — _____

выслать — _____   поблагодарить — _____

предложить — _____   заплатить — _____

подготовить — _____   изучить — _____

Упражнение 7. Выполните упражнение, используя клише.

1) Просим включить в наш контракт пункт «Сроки выполнения заказа».
Учитывая ваше пожелание, мы включили в контракт пункт «Сроки выполнения заказа».

2) Просим перенести срок выполнения нашего заказа на конец месяца.
Учитывая ваше пожелание, ...

3) Просим вернуть предоплату, так как работы не сделаны в срок.
Учитывая тот факт, что ...

4) Рекламация не может быть рассмотрена, так как ни акт проверки, ни отчёт комиссии не подтвердили фактов нарушений договора.
К сожалению, ...

5) Проверка подтвердила тот факт, что компьютеры получили повреждения в процессе транспортировки, поэтому просим вас компенсировать их стоимость.
Исходя из того, что...

6) Просим предоставить нам скидку в 10 %, так как мы увеличиваем объём покупки товаров.
Исходя из того, что ...

7) Строительство больше не является рентабельным, и мы приняли решение прекратить его инвестирование.

Исходя из того, что ...

8) Мы увеличиваем арендную плату на 2 %, так как стоимость 1 кв. м выросла.

Ввиду того, что...

Упражнение 8. Прочитайте текст. Пользуясь материалами уроков 3–4, напишите положительный ответ.

« _25_ » _декабря_ 20 _05_ г.   U.S. FINANCIAL &

№ _22_   INSURANCE

                                 SERVICES

                                 г-ну Фелпс Ф.

Уважаемый г-н Фелпс!

Просим вас изменить условия страхования оборудования для машинного завода, предложенного вами в проекте контракта № 6 от 10.11.2004.

Мы хотели бы, чтобы статья № 7 нашего контракта предусматривала страхование поставляемого оборудования от всех рисков.

С наилучшими пожеланиями

Генеральный директор   *Васильев*   С.В. Васильев

Упражнение 9. Прочитайте текст. Пользуясь материалами уроков 3–4, напишите отрицательный ответ.

« _14_ » _октября_ 20 _05_ г.   Директору фирмы

№ _23/12-988_   «ВариантЫ»

                                 г-ну Симонову О.С.

Уважаемый Олег Семенович,

просим вас предоставить нам скидку в размере 25 % на заказ № 3232 от 18.10.2005.

Надеемся на взаимовыгодное сотрудничество

Генеральный директор   *Кедров*   А.Н. Кедров

_____

_____

«_____» _____ 20____ г.

_____,

_____

_____

_____

_____

_____

ДОПОЛНИТЕЛЬНЫЙ МАТЕРИАЛ

Паронимы

Паронимы — слова одной части речи, сходные по звучанию, но разные по значению.

ЗАПОМНИТЕ

Значения паронимов

Адресат — адресант

Адресат = получатель — человек или организация, получающие письмо;
адресант = отправитель — человек или организация, отправляющие письмо.

Дипломатический — дипломатичный
Дипломатический — относящийся к дипломатии, дипломату;
дипломатичный — вежливый.

Длинный — длительный
Длинный — имеющий большую длину;
длительный — долговременный.

Гарантированный — гарантийный
Гарантированный — точный, надежный;
гарантийный — дающий гарантию.

Запасной(ый) — запасливый
Запасный — резервный;
запасливый — предусмотрительный, делающий запасы человек.

Исполнительный — исполнительский
Исполнительный — старательный, имеющий своей целью осуществление чего-либо;
исполнительский — относящийся к исполнителю.

Командированный — командировочный
Командированный — человек, который находится в командировке;
командировочный — относящийся к командировке.

Ответный — ответственный
Ответный — ответ (ответная реакция);
ответственный — несущий ответственность, важный.

Представление — предоставление
Представление — вручение для ознакомления (представление характеристи-
ки), выдвижение для поощрения (представление к награде);
предоставление — выделение чего-то в чьё-то распоряжение (предоставление
кредита).

Эффектный — эффективный
Эффектный = театральный, производящий впечатление;
эффективный — дающий результат.

Упражнение 10. К словам из левой колонки подберите синоним (или описание) из
правой. При необходимости пользуйтесь словарём.

| Длинный (-ая, -ое, -ые) | переговоры |
| Длительный (-ая, -ое, -ые) | доклад, слово |

Дипломатический (-ая, -ое, -ые)	ответ
Дипломатичный (-ая, -ое, -ые)	статус, приём
Гарантированный (-ая, -ое, -ые)	компенсация
Гарантийный (-ая, -ое, -ые)	талон, ремонт, сервис
Запасной (-ая, -ое, -ые)	человек
Запасливый (-ая, -ое, -ые)	части
Командированный (-ая, -ое, -ые)	расходы на 2009 год
Командировочный (-ая, -ое, -ые)	представитель фирмы
Исполнительный (-ая, -ое, -ые)	дисциплина
Исполнительский (-ая, -ое, -ые)	комитет, лист, человек
Ответный (-ая, -ое, -ые)	секретарь
Ответственный (-ая, -ое, -ые)	визит
Эффектный (-ая, -ое, -ые)	новая модель
Эффективный (-ая, -ое, -ые)	реклама, переговоры

Урок 9
ПИСЬМО-ИЗВЕЩЕНИЕ

ТЕКСТЫ

Приглашение. Письмо-подтверждение.
Письмо-благодарность

ДОПОЛНИТЕЛЬНЫЙ МАТЕРИАЛ

Паронимы (продолжение)

СЛОВАРЬ УРОКА

агент	документация (= документы)
аккуратность	ежегодный
аккуратный	ежедневный
аукцион	закрываться/закрыться
банкетный	заявка
беспошлинно	занятость
благодарность	исследование
вид	исследовательский
внешность	коллекция
выставка	конкретный ≠ абстрактный
годовщина	копировальная техника
господин (господа)	малый бизнес
готовность	массовый
дама (-ы)	мероприятие
демонстрация	народный (товары народного потреб-
дирекция	ления)

научно-исследовательский институт
образование
одежда (спецодежда)
от имени + Gen (кого?)
открываться/открыться
павильон
по случаю
подача
позволять/позволить + Acc (что?)
поручать/поручить + Acc (что?) + Dat
    (кому?)
поручение
потребление (товары народного пот-
    ребления)
представитель
представительный
представительский
представлять
предусматривать + Acc (что?) + для
    Gen (кого?)
прейскурант
признательный
принять участие в/на Prep (в чем?)
промышленный
разрешать/разрешить + Acc (что?) +
    Dat (кому?)
разъяснять/разъяснить (= объяснять
    — объяснить) + Acc (что?) + Dat
    (кому?)

российский
руководитель
руководство
рынок
сбой
семинар
служба
состояться в/на + Prep (где?)
сотрудник
спецодежда
таможня
технический
техничный
Торгово-промышленная палата
точно
точность
точный
уникальный
управляющий
услуга
фуршет
характеристика
частичный
частный
честь
экспозиция
экспонат
экспонирование
ярмарка

ПИСЬМО-ИЗВЕЩЕНИЕ

Письмо-извещение информирует адресата о публичных мероприятиях (со-
вещаниях, семинарах, выставках, конференциях и т. п.). Письмо-извещение
может одновременно содержать приглашение, сообщать об условиях участия в
мероприятии и иметь другую дополнительную информацию, например: карту

участника, анкету участника, программу мероприятия и другие информационные материалы. В письме-извещении могут использоваться клише информационного письма.

Упражнение 1. Напишите письмо-извещение. Дополните необходимой информацией (условия, место, время и т. п.). Темы писем:

- об открытом конкурсе проектов по теме «Энергия и экология»;
- о проведении аукциона автомобилей;
- о проведении выставки «Туризм и отдых».

ПИСЬМО-ПРИГЛАШЕНИЕ

Письмо-приглашение — разновидность письма-извещения. Может быть адресовано конкретному лицу, или нескольким лицам, или массовому адресату.

Уважаемые дамы и господа,

от имени руководства компании имею честь пригласить вас на фуршет по случаю открытия выставки «Ювелир-2008».

Начало фуршета — 17 часов 20 октября 2009 года. Место проведения фуршета — банкетный зал «Бизнес-центра» (ул. Миллионная, д. 10).

Будем рады, если вы сможете принять участие в мероприятии. Дополнительную информацию о порядке проведения фуршета вы можете получить у представителя компании Головлева Сергея Витальевича по телефону: 495-333-3333.

С уважением,

по поручению генерального директора ЗАО «Р.О.С.ЮВЕЛИРЭКСПО» Ольга Маклакова, шеф-секретарь.

Имеем честь пригласить вас + Асс (куда?) Разрешите (Позвольте) пригласить вас Примите наше приглашение	на встречу посетить выставку принять участие в...
Просим принять участие + Prep (в чём?) Мы будем весьма признательны вам за участие	в выставке
Мы были бы рады видеть вас + Prep (где?)	на выставке на презентации
Мы были бы благодарны вам, если бы вы смогли принять наше приглашение на + Асс (куда?)	выставку презентацию

Упражнение 2. Раскройте скобки, употребив существительные в нужной форме.

1) Имеем честь пригласить (представитель) вашего предприятия посетить...2) Фирма «ОКТОЛ» приглашает (руководители, директора, менеджеры, управляющие компаний, торговые агенты) посетить нашу экспозицию в «Экспозиция» на Красной Пресне. 3) Приглашаем (дирекция вашей фирмы) принять участие в обсуждении проекта по развитию малого бизнеса в России. 4) Приглашаем (сотрудники вашей компании) принять участие в семинаре «Современный офис». 5) АО «Экспоцентр» приглашает (иностранные, международные и российские организации и фирмы) принять участие в выставке «Товары народного потребления». 6) Торгово-промышленная палата приглашает (машиностроительные заводы, научно-исследовательские институты) принять участие в демонстрации выставочных экспонатов.

участвовать = принимать участие + Prep (в чём?)
приём по случаю + Gen (чего?)

Упражнение 3. Составьте словосочетания по образцу.

Модель 1: Принимать участие (участвовать) — выставка
Принимать участие (участвовать) в выставке.

Ярмарка бытовой техники; презентация нового DVD; демонстрация выставочных образцов; открытие выставки; экспонирование автомобилей-2008; празднование юбилея.

Модель 2: Юбилей фирмы — Приём по случаю юбилея фирмы.

15-летие Ассоциации; День дипломатического работника; открытие выставки; празднование Дня России; презентация новой модели; подписание соглашения; годовщина НТВ; государственный визит президента.

Упражнение 4. Ответьте на вопросы. Напишите предложения по модели.

Модель: — Когда состоится закрытие выставки? — 26.10.2009
— Закрытие выставки состоится 26 октября 2009 года.

1) Когда открывается ярмарка? — 03.03.2009
2) Когда закрывается ярмарка? — 07.03.2009
3) Когда состоится открытие выставки? — 20.10.2008
4) Когда начинают принимать заявки на участие в выставке? — 10.09.2008
5) Когда последний срок подачи заявок? — 15.09.2009

6) Когда состоится презентация? — 08.11.2008

7) Когда начинает работу выставка? — 28.09.2008

Упражнение 5. Составьте предложения по модели.

Модель: Где и когда состоится приём? Банкетный зал ресторана «Прага», 12.04.2009, 16.00.

Приём состоится в банкетном зале ресторана «Прага» 12 апреля 2009 года в 16.00.

1) Открытие выставки. Всероссийский выставочный центр (ВВЦ), павильон 68, 24.09.2009, 9.00.

2) Презентация новой коллекции. «Экспозиция», 14.05.2009, 10.30.

3) Празднование 10-летнего юбилея фирмы. Банкетный зал гостиницы «Россия», 29.11.2009, 18.00.

4) Премьера. Санкт-Петербург. Атриум Комендантского дома Петропавловской крепости. 27.01.2009, 19.00.

5) Пресс-конференция. Торгово-офисный центр по адресу: Каширское шоссе, 63. 23.12.2009, 11.00.

Упражнение 6. Употребите в предложениях глаголы, подходящие по смыслу.

Слова для справки: посетить, предусматривать, работать, предоставлять

1) Программа выставки _____ широкую демонстрацию современной техники.

2) Ярмарку _____ тысячи специалистов из многих стран мира.

3) Дирекция ярмарки _____ услуги переводчиков и другого персонала.

4) Ярмарка _____ ежедневно с 9 до 18 часов без перерыва на обед.

Слова для справки: видеть, приглашать, открывать, состояться

5) С удовольствием _____ вас принять участие в...

6) Мы были бы рады _____ вас на презентации нового автомобиля.

7) 28 февраля 2004 _____ наше ежегодное собрание.

8) Благодаря возросшему спросу на наши спортивные товары, мы _____ _____ новый филиал нашего предприятия по адресу: Москва, Воронцовская ул., 37.

Упражнение 7. Соединив слова из левой и правой колонок, составьте предложения.

Мы рады представить вам = Мы рады предложить	широкий ассортимент товаров; уникальная система очистки воды; наш новый проект; товары итальянских производителей; продукция российских фирм; новая коллекция одежды

ПИСЬМО-ПОДТВЕРЖДЕНИЕ

Как следует из самого термина, письмо-подтверждение пишут чтобы подтвердить получение информации, документов.

Уважаемые господа,

с удовольствием подтверждаем наше участие в Форуме молодых ученых, который будет проходить 12—14 мая 2009 года. Прилагаем к данному письму документы, необходимые для участника форума.

Приложение:
1. Заявка участника 1 л. в 1 экз.
2. Аннотация к докладу 1 л. в 1 экз.
3. Отзыв научного руководителя на 2 л. в 1 экз.

Подтверждаем Компания «А» подтверждает	+ Асс (что?)	получение
С удовольствием подтверждаем С благодарностью подтверждаем		участие в выставке

Письмо-подтверждение может начинаться со слов:
- В подтверждение своего согласия с (+ Inst)...;
- Ваше письмо от 00.00.00 нами получено;
- Благодарим за (+ Асс), который (-ую, -ое, -ые) мы получили.

Упражнение 8. Напишите подтверждение полученной информации, используя клише.

1) Мы получили ваше приглашение на презентацию.

2) Наша фирма получила партию товара точно в срок.

_____

3) Мы получили наш заказ и хотели бы поблагодарить вас за аккуратность и точность его выполнения.

_____

4) Мы получили ваше письмо от 12.10.2008.

_____

5) Мы получили ваше предложение на участие в выставке и с удовольствием принимаем его.

_____

6) Мы получили ваши предложения по изменению пунктов 2 и 5 контракта.

_____

7) Нами получен перевод на сумму 1500 долларов США за ремонт копировальной техники.

_____

8) Машины и оборудование нами получены без опоздания.

_____

ПИСЬМО-БЛАГОДАРНОСТЬ

Письмо-благодарность направляют организации, должностному лицу или гражданину с выражением благодарности за совершённые действия.

Уважаемые господа,

от лица компании и себя лично выражаю вам свою благодарность за высокий уровень и качество организации выставки «Show-2009». Также мы хотели бы подтвердить нашу заинтересованность в участии в осенней выставке «Decor-2009» с сохранением за нами стенда.

Директор   И.О. Федотов

я, он благодарен (= признателен)
я, она благодарна (= признательна)   + Dat (кому?) + за Acc (что?)
мы, Вы, вы, они благодарны (= признательны)

Упражнение 9. Измените данные предложения по модели.

Модель: Мы благодарим вас за скорый ответ.
              Мы были бы благодарны вам за скорый ответ. =
              Мы были бы признательны вам за скорый ответ.

1) Мы благодарим вас за ваше письмо.

_____

_____

2) Компания благодарит вас за своевременное информирование.

_____

_____

3) Г-н Браун благодарит вас за помощь в оформлении визы.

_____

_____

4) Мы благодарим за разъяснения по этому вопросу.

_____

_____

5) Редакция благодарит читателей за критику и предложения.

_____

_____

6) Мы благодарим вас за информацию о результатах исследований.

_____

_____

Упражнение 10. Напишите письмо-приглашение на выставку, пользуясь приведённой информацией.

- Мероприятие: выставка
Время проведения: 6–8 мая 2010 г.
Организатор, место проведения: ВО «СоюзПромЭкспо»
Деловой информационно-выставочный центр, ул. Карла Либкнехта, 22, г. Екатеринбург
Тема: работы начинающих дизайнеров, учащихся вузов России
(будет проведён мастер-класс «Современные цифровые технологии для дизайнеров», а также мастер-класс «Прикладные технологии и тенденции в дизайне»)

Упражнение 11. Прочитайте письмо и напишите письмо-ответ.

« _1_ » _февраля_ 20 _08_ г.

№ _1-3-115_

                            Генеральному директору
                            научно-технического
                            центра «Информсистема»
                            г-ну Еремееву О.С.

О семинаре
«Современный офис»

                Уважаемый Олег Святославович,

приглашаем вас принять участие в работе семинара «Современный офис», который проводится 05.02.2009 компанией «Росинтер» в Государственной думе по адресу: Георгиевский переулок, д. 2, в аудитории 830. Начало семинара в 11.00, предполагаемая продолжительность — 4 часа.

В программе семинара: рассмотрение вопросов автоматизации делопроизводства, электронного документооборота, электронных архивов предприятий и организаций.

Просим вас подтвердить участие в семинаре до 04.01.2009. Заявку необходимо выслать по факсу 931-00-27.

Приложение: программа семинара «Современный офис» на 1 л.

Председатель оргкомитета   *Нестеров*   И.В. Нестеров

«_____» _____ 20___ г.

_____,

_____

_____

_____

_____

_____

_____

_____

_____

_____

ДОПОЛНИТЕЛЬНЫЙ МАТЕРИАЛ

Паронимы (продолжение)

(ПРЕДСТАВИТЕЛЬНЫЙ — ПРЕДСТАВИТЕЛЬСКИЙ)

представительный — 1) человек, который имеет презентабельную
внешность;
2) специальный, уполномоченный (об организации)

представительский — то, что принадлежит компании, презент.

Упражнение 12. Составьте и запишите словосочетания, выбрав из правой колонки существительные.

представительный представительский	сувениры внешность вид товары человек

Упражнение 13. Представительный или представительский? Выберите подходящий по смыслу пароним.

1) В комнату вошёл мужчина ... внешности.
2) У него был ... вид.
3) ... товары пропускаются через таможню беспошлинно.
4) В этом ящике находятся ... сувениры.
5) Государственная дума — это ... орган государственной власти.
6) На выставке будет проходить презентация машин ... класса.
7) В Твери начал работу ... медицинский форум.

ТЕХНИЧЕСКИЙ — ТЕХНИЧНЫЙ

технический — специальный, который относится к технике
техничный — тот, который обладает высоким мастерством

Упражнение 14. Составьте словосочетания, выбрав из правой колонки существительные. Дополните предложения по смыслу.

технический техничный	документация условия музыкант хирург образование поддержка (= помощь)

1) Наша фирма может предоставить ... помощь.
2) Эта работа требует очень ... специалиста.
3) Специалисты обсудили ... характеристику представленного на выставке оборудования.

4) Для консультации необходимо обратиться в ... службу компании.

5) Кравченко — это очень ... и думающий футболист.

6) Во время тестирования произошёл ... сбой на сервере.

$$\boxed{\text{ЧАСТИЧНЫЙ — ЧАСТНЫЙ}}$$

частичный — неполный

частный — приватный, личный, персональный; индивидуальный

Упражнение 15. Составьте словосочетания, выбрав из правой колонки существительные. Дополните предложения по смыслу.

частичный
частный

предприятие
поставки
завод
банк
платежи

1) Это не государственный, а ... магазин.

2) Контрактом предусмотрены ... платежи.

3) На аукционе было продано несколько ... коллекций.

4) В контракте были предусмотрены ... поставки.

5) В компании имеются вакансии с ... занятостью.

6) Мы осуществляем регистрацию индивидуальных (...) предприятий.

Урок 10

ОФЕРТА. ПРЕДСТАВЛЕНИЕ КОМПАНИИ. ЦЕНА И УСЛОВИЯ ПЛАТЕЖА

ТЕКСТ

Образцы упражнений по теме урока

ДОПОЛНИТЕЛЬНЫЙ МАТЕРИАЛ

Простая и составная формы степеней сравнения имени прилагательного. Превосходная степень. Союзы **тоже** и **также**

СЛОВАРЬ УРОКА

авансовый
аналогичный
взаимовыгодный
выводить — вывести (на рынок)
высококачественный
грузовой (грузовые документы)
дальнейший
дистрибьюторский (дистрибьюторская сеть)
договорённость
долговременный

единичный
европейский стандарт
заинтересованный + Pren (в чём?)
заинтересовать + Gen (кого?) + Inst (чем?)
закупка
закупочный
значительный
изготовление
изделие
искусственный ≠ натуральный

качество
квартал
конструктивный
лицо (лица)
минимальный ≠ максимальный
навстречу
надёжный (способ)
наименование
обращаться/обратиться (с просьбой; по телефону) к Dat (кому?) + Inst (с чем?)
обязательство
ознакомиться + Inst (с чем?)
окончательный ≠ предварительный
осуществляться
оферта = предложение
объем
переданный
повышенный
по адресу

погрузка
пожелание
предварительный ≠ окончательный
производиться
публикация
рекомендовать/зарекомендовать
сотрудничество
способ
способствовать + Dat (чему?)
существенный = большой
твёрдый ≠ свободный (заказ, предложение)
требоваться — потребоваться + Dat (кому?) + Acc (что?)
употребить/употреблять = использовать + Acc (что?)
успешный
штука
элитный

ОФЕРТА

Оферта — это предложение заключить договор, адресованное одному или нескольким конкретным лицам.

Оферта содержит существенные условия договора и выражает намерение лица, сделавшего предложение, считать себя заключившим договор с адресатом, которым будет принято предложение.

Оферта может быть составлена как в свободной форме, так и на специальном бланке.

Приведём образец.

Уважаемые господа,

возвращаясь к сегодняшним переговорам с вами и вашим представителем, сообщаем, что мы предлагаем вам камень для мощения улиц и тротуаров в виде кубов со стороной от 40 до 60 мм. Объём закупок не ограничен. Транспортировка через порты Балтики.

Наши условия: минимальная сумма заказа — 5000 американских долларов, доставка через 90—120 дней с даты заказа, платеж — безотзывным аккредитивом, открываемым на 90 дней.

По вопросам приобретения камня просим обращаться по адресу: Москва, ул. Чаянова, д. 22. Наш телефон: 258-7752, факс: 258-7719.

С наилучшими пожеланиями

зам. директора АО «Интер»   В.И. Петрова

Фирма _____ ,
           (полное наименование юридического лица)

расположенная по адресу: _____

_____ ,

предлагает к покупке любым заинтересованным лицам _____

_____

           (наименование товара)

на следующих условиях: _____

_____

Приём заказа осуществляется по адресу: _____

_____

предложение НА + Acc (что?) поставку товаров
предложение О + Prep (чем?) поставке товаров
поставка НА 400 изделий в квартал
поставка ЗА 60 дней ДО + Gen (чего?) получения заказа
О предложении на + Acc (что?)
О поставке + Gen (чего?)

ИНСТРУКЦИЯ

Фраза-клише содержит глагол

ПРЕДЛАГАТЬ + Acc (что?)

Предлагаю (предлагаем)	вашему вниманию...; на ваше рассмотрение...;
Имеем честь предложить	вашему предприятию...; вниманию вашего руководства; на ваше рассмотрение..;
В соответствии с ранее достигнутой договорённостью предлагаем	вам осуществить поставку...; дополнительно приобрести у нашего предприятия...; осуществить допоставку товаров...
Исходя из результатов предварительных переговоров, мы могли бы предложить вам Принимая во внимание особые обстоятельства, мы можем предложить	перенести поставку на более поздний срок ...

Клише для оферты:

Учитывая безупречную репутацию фирмы... ;

Принимая во внимание многолетнее и взаимовыгодное сотрудничество ...;

С благодарностью подтверждаем получение вашего запроса и сообщаем...

В ответ на ваш запрос и в подтверждение нашей договоренности (телефонного разговора) мы можем (могли бы) отправить вам...

Благодарим вас за внимание и интерес, проявленный вашим предприятием...

Упражнение 1. Закончите предложения.

1) В ответ на ваш запрос предлагаем вам _____

_____

_____

2) В ответ на ваш запрос и в подтверждение нашей договоренности с удовольствием предлагаем вам _____

_____

_____

122

3) Ссылаясь на ваш запрос и предыдущие переговоры, мы можем (могли бы) отправить вам _____

_____

_____

4) Подтверждая получение вашего запроса, мы можем предложить вам

_____

5) Мы получили ваш запрос и сообщаем, что можем рассмотреть возможность _____

_____

_____

Ответ на оферту:

Благодарим вас за предложение ...

Подтверждаем с благодарностью получение вашего предложения и сообщаем, что мы хотели бы заказать...

Упражнение 2. Прочитайте примеры, найдите и подчеркните клише.

1) Благодарим вас за просьбу дать предложение на отгрузку товара в ваш адрес.

2) Подтверждаем с благодарностью получение вашего запроса и сообщаем, что можем отправить вам заказанный товар полностью.

3) Принимая во внимание ваши предложения по обсуждаемой проблеме, мы согласны внести изменения в наш контракт.

4) Условия платежа изложены подробно в пункте «Общие условия поставки».

5) Просим подтвердить (рассмотреть) наше предложение в течение 5 дней со дня получения нашего письма.

6) Просим прислать ответ не позднее 15 сентября с. г.

7) Просим вас сообщить, заинтересованы ли вы в закупке предлагаемого товара.

8) Качество товара соответствует действующим европейским стандартам.

Упражнение 3. Вставьте клише в предложения.

Слова для справки: просим ответить нам..., в наших общих интересах..., качество товара соответствует..., условия платежа изложены..., наши обычные условия..., общая стоимость всей партии составляет..., идя навстречу вашим пожеланиям...

1) _____ — оплата наличными, без скидок, без грузовых документов.

2) _____ решить вопрос как можно скорее.

3) _____ образцам, высланным вам вместе с каталогом.

4) _____ в контракте.

5) _____ в 3-дневный срок.

6) _____ 12 000 000 рублей.

7) _____ вводим с 1 октября новую систему скидок.

ПРЕДСТАВЛЕНИЕ КОМПАНИИ. РЕКЛАМНОЕ ПИСЬМО

Цель рекламного письма — предложение сотрудничества, продуктов и услуг компании. План такого письма можно представить в следующем виде.

План письма.

1. Краткое **представление** компании, продукта.

> Мы хотели бы представить нашу компанию...
> В дополнение к нашему телефонному разговору мы хотели бы...
> Ссылаясь на наш телефонный разговор от ... относительно (касательно) ... нам приятно сообщить вам, что...
> Ссылаясь на ваш запрос, мы хотели бы...
> Наша компания является лидером... на рынке...

2. **Перечисление** основных достоинств, новшеств, преимуществ предлагаемого продукта, услуг.

> Наши товары имеют отличное качество...
> Качество нашей продукции подтверждается сертификатами...

3. **Определение сегмента рынка**, на котором вы предлагаете представить ваш продукт. Определение потенциальных потребителей.

> Нашими покупателями являются...
> Мы работаем с...
> Как нам кажется, наша продукция будет востребована (интересна)...

4. **Конкретное предложение** о сотрудничестве: оптовая или розничная продажа, лицензионное соглашение, создание дистрибьюторской сети и пр.

> Мы заинтересованы в долговременном сотрудничестве.
> Нас заинтересовали бы предложения о...

5. Если вы прилагаете образцы продуктов, необходимо **объяснить**, какие это продукты из серии предлагаемых.

> Прилагаем к письму 5 экземпляров...
> К письму прилагаются каталоги и образцы...

6. **Выразить готовность** ответить на все вопросы, которые могут возникнуть в процессе оценки продукта.

> В случае вашей заинтересованности мы готовы ответить на все ваши вопросы...
> Сообщите, пожалуйста, если вам потребуется дальнейшая информация.
> Если у вас возникнут какие-либо вопросы, обращайтесь по телефонам: (указанным...)
> Будем рады ответить на любые ваши вопросы...

7. Закончить письмо **стандартной фразой** — выразить надежду на сотрудничество.

Упражнение 4. Прочитайте образец рекламного письма. Напишите вопросы автору письма, чтобы получить более подробную информацию.

> Уважаемые господа,
>
> мы хотим предложить вам высококачественные яблочные чипсы венгерского производителя фирмы «NOB», отлично зарекомендовавшие себя в Европе. Для их производства используются только яблоки элитных сортов «Голден» и «Джонатан». Процесс приготовления исключает использование жира, соли, сахара, а также искусственных ароматизаторов. Одна упаковка яблочных чипсов содержит такое же количество витаминов и микроэлементов, как 4—5 свежих яблок. Сбалансированный углеводно-кислотный и пектиновый состав, важная особенность ежедневного рациона, повышает тонус и улучшает самочувствие, способствует очищению организма и оказывает благотворное влияние на пищеварение. Даже люди, страдающие сахарным диабетом, могут употреблять этот вкусный и полезный продукт. Качество продукции фирмы «NOB» подтверждается сертификатами.
>
> Нас заинтересовало бы создание дистрибьюторской сети в вашей стране.
>
> С уважением и надеждой на сотрудничество.

Вопросы:

_____

_____

_____

_____

Упражнение 5. Ответьте на вопросы.

1) Какая информация в тексте показывает, что фирма имеет качественный товар?

2) Какая часть письма определяет сегмент рынка сбыта (продажи) товаров?

Упражнение 6. Образуйте отглагольные существительные и составьте с ними предложения.

Модель: размещать — размещение
      Мы заинтересованы в размещении.

увеличить — ...

приобретать — ...

126

получать — ...

оказать помощь — ...

заключать соглашение — ...

обеспечить качество — ...

покупать — ...

работать — ...

продавать (-ж-) — ...

Упражнение 7. Дополните предложения.

Слова для справки: более высокого качества, несколькими партиями, безотзывный аккредитив, обо всех условиях, преимущества

1) Мы считаем, что товары конкурентов ....
2) В настоящий момент мы информированы ...
3) Эта модель имеет большие ... .
4) Мы хотели бы, чтобы вы открыли ... на полную стоимость товара.
5) Товар будет поставлен ... .

Слова для справки: аналогичные модели, надежный способ, скидку, преимущества, товары

6) ... этой фирмы известны на мировом рынке.
7) Это — ... транспортировки.
8) Какие фирмы выпускают ...?
9) Цена очень высока, мы хотели бы получить ... .
10) Какие ... имеет эта последняя модель?

Слова для справки: последняя модель, транспортировка, стоимости продукции, прайс-листе

11) Наша ... пользуется большим спросом на мировом рынке.
12) Вы должны открыть аккредитив на 50 % от ... .
13) Какой способ ... вы считаете более удобным?
14) Все цены указаны в ... .

ЦЕНА И УСЛОВИЯ ПЛАТЕЖА

цена + Gen (чего?) = цена за + Асс (что?)

ЗАПОМНИТЕ склонение числительных

Nom	Gen (цена чего?)	Асс (цена за что?)
один/одна	одного/одной	за один/за одну
два/две	двух	за два/за две
три	трех	за три
четыре	четырех	за четыре
пять (аналогично шесть — тридцать)	пяти	за пять
сорок	сорока	за сорок
пятьдесят (аналогично шестьдесят — восемьдесят)	пятидесяти	за пятьдесят
девяносто	девяноста	за девяносто
сто	ста	за сто
тысяча	тысячи	за тысячу

Упражнение 8. Составьте словосочетания по модели.

Модель 1: Один баррель нефти — цена за один баррель нефти
цена одного барреля нефти

один метр — ...
одна тонна зерна — ...
один килограмм яблок — ...
одно объявление — ...
одна публикация в газете — ...
один день проживания в гостинице — ...

Модель 2: Цена включает упаковку. — В цену включена упаковка.

1) Цена включает упаковку и маркировку.
2) Цена включает страхование и фрахт.
3) Цена включает погрузку на корабль.
4) Цена включает транспортировку товара до покупателя.
5) Цена включает доставку товара.

Например: платёж производится (= осуществляется) по векселю
платёж производится (= осуществляется) по кредиту
платёж производится (= осуществляется) через банк

Например: платёж производится (= осуществляется) в долларах
платёж производится (= осуществляется) в евро
платёж производится (= осуществляется) наличными

Упражнение 9. Составьте предложения по модели.

Модель: одна машина — 5600 долларов США
Платёж осуществляется в долларах США.
Цена за одну машину — 5600 долларов США.

один станок — 250 000 рублей.
партия офисной техники — 2 500 000 японских иен.
один компьютер — 860 английских фунтов стерлингов.
одна публикации — 30 000 рублей.
машина — 45 000 евро.
один литр бензина Аи-95 — 25 рублей.
один баррель нефти — 120 долларов США.
билет — 200 евро.

Упражнение 10. Прочитайте диалог. Напишите письма от имени г-на Воронина и г-на Смита.

Г-н Смит: Г-н Воронин, мы ознакомились с вашими каталогами и образцами изделий, присланных нам, и хотели бы получить ваше предложение на поставку 1000 изделий.

Воронин: Благодарим вас за внимание, проявленное к нам. Мы готовы предложить вам одну тысячу изделий по цене 300 американских долларов за 1 штуку. Цена принимается ФОБ (FOB), включая упаковку и маркировку. Поставка будет осуществляться по 250 штук в квартал через 45 дней после получения вашего твердого заказа.

Г-н Смит: Благодарим вас за ваше предложение, оно должно быть изучено нашими экспертами, для этого нам потребуется один месяц.

Воронин: К сожалению, мы не можем резервировать товар на такое длительное время, так как он пользуется повышенным спросом на рынке. Мы могли бы считать наше предложение твердым в течение двух недель с даты предложения. Письменное предложение будет вам передано завтра. Мы хотели бы предупредить вас, что, если в течение выполнения контракта будут изменены (повысятся) цены на мировом рынке на сырье, идущее на изготовление этих изделий, более чем на 5 %, мы можем пересмотреть цены.

Г-н Смит: Благодарим за разъяснение, мы приложим все силы к быстрейшему изучению вашего предложения, чтобы окончательный ответ поступил до окончания срока вашего предложения.

Воронин: Очень хорошо. До свидания, г-н Смит.

Г-н Смит: До свидания.

ДОПОЛНИТЕЛЬНЫЙ МАТЕРИАЛ

Простая и составная формы степеней сравнения имени прилагательного. Превосходная степень

В русском языке существуют две формы степеней сравнения имени прилагательного: простая и сложная. Простая форма состоит из одного слова. Например, короткий — короче, хороший — лучше, интересный — интереснейший.

В деловой речи наиболее распространена сложная форма степеней сравнения имени прилагательного.

Сравнительная степень образуется при помощи слов более/менее и словарной (основной) формы прилагательного.

Например: Более короткий, менее сложный.

Сложные формы степени сравнения имени прилагательного со словами **более** или **менее** воспринимаются как стилистически нейтральные, поэтому чаще используются в деловом стиле.

Слова **более** или **менее** не употребляются с прилагательными в форме простой и сравнительной степени. Например, нельзя сказать более продуктивнее, менее серьезнее.

Превосходная степень образуется при помощи слов **самый**, **наименее**.

Составные формы со словами **самый**, **наиболее**, **наименее** являются нейтральными по стилю, употребляются чаще простых форм: высочайший — самый высокий, труднейший — наиболее трудный...

Упражнение 11. Подберите сложную форму степени сравнения прилагательного.

Модель 1: Способ удобнее — более удобный способ.

Способ надежнее, прейскурант подробнее, представление полнее, товар качественнее, продукты дешевле;

Модель 2: неудобный способ — менее удобный способ.

Не очень высокое качество, не очень выгодные условия, не очень качественная продукция, не очень успешный год, не очень популярная модель;

Модель 3: высочайший — самый высокий.

Серьёзнейший, удобнейший, перспективнейший, важнейший, главнейший, срочнейший, полнейший, надежнейший.

Упражнение 12. Проверьте себя. Какое из прилагательных сочетается с существительным, а какое нет.

Предложение — твёрдое, интересное, повышенное, письменное;
сотрудничество — взаимовыгодное, долговременное, окончательное;
деятельность — успешная, розничная, рентабельная;
скидки — значительные, небольшие, конструктивные;
спектр услуг — широкий, успешный, полный;
рентабельность — высокая, низкая, существенная;
расчёты — предварительные, твёрдые, интересные, окончательные.

Союзы **тоже** и **также**

Для обозначения сходства между фактами используются союзы **тоже** и **также**.

1. **Тоже** = **также** — значит «аналогично, одинаково, равным образом». В этом случае **тоже** — разговорный вариант, возможен в письмах менее формального характера. **Также** — нейтральный, универсальный.

Например: Он согласен, и мы тоже/также (=).

2. (А) **также** = и (ещё, +). В этом случае нельзя сказать **тоже**, то есть **также** ≠ **тоже**.

Например: Мы заказали кондиционеры, а также (и, +) ксероксы.

Упражнение 13. Выберите союз **тоже** или **также** для ситуаций. Если возможно использование обоих союзов, то напишите оба.

1) Конкурс _____ является брендом.

2) Если вы хотели бы заказать каталоги без указания цен, то это _____ __ возможно.

3) Конечно, мы _____ продолжим изучение вопроса.

4) _____ мы хотели бы начать с вами переговоры о возможном размещении заказа.

5) Выход на американский рынок в следующем году _____ обусловлен объективными причинами.

6) Для ассортимента total-look _____ нужна индустрия.

7) Как бы ни было удобно золото в качестве денег, у него _____ есть недостатки: оно относительно тяжёлое и быстро изнашивается.

8) На продукцию категории «С» в этом году _____ нет ни спроса, ни предложения.

9) Опубликуйте объявление о покупке или продаже. _____ укажите способ связи с вами.

10) Нам нужны сведения о заёмщике, в частности кредитная история, ____ _____ копия плана квартиры.

Урок 11
ОБСУЖДЕНИЕ ЦЕНЫ И УСЛОВИЙ

ТЕКСТЫ

Письмо-заказ. Письмо-гарантия

ДОПОЛНИТЕЛЬНЫЙ МАТЕРИАЛ

Порядок слов в предложении. Инверсия в деловой речи

СЛОВАРЬ УРОКА

автопарк
адресант
адресат
аккредитация
базис = основа
беспокоить + Gen (кого?)
в наличии
верный ≠ неверный = правильный ≠
    неправильный
вид
возобновлять — возобновить + Acc
    (что?)
воплощать — воплотить + Acc (что?)
дефект
дефектный
дешёвый ≠ дорогой
доброкачественный

долговременный
заверять/заверить + Acc (кого?) +
    Inst (в чём?)
зависеть от + Gen
завышенный
заинтересован (-а, -о, -ы)
заказывать на условиях
заниженный
истекать/истечь = заканчиваться —
    закончиться
итого
касаться + Gen (чего?)
кассовый (чек)
каталог
комбинат общественного питания
комплект
комплектность

конкурентоспособный
консервы
консрукция
копир = Xerox, ксерокс
курьерский (курьерская доставка)
ламинатор
надлежащий
наложенный платёж
направление (направление деятель-
    ности)
недоумение
непосредственно
номер = место
объём
обязываться — обязаться
оказываться — оказаться
оперативность = быстрота, скорость
определять — определить + Acc (что?)
оставаться — остаться + Prep (где?)
ответный
ответственный
отказываться — отказаться от + Gen
отмечать — отметить + Acc (что?)
оформление
плодоовощной
пломба
поврежденный
повышать — повысить + Acc (что?)
подробный = детальный
подтверждать — подтвердить + Acc
    (что?)
посредством (посредством безотзыв-
    ного аккредитива)
похожий ≠ другой
предоставление
пресс-служба

пробовать/опробовать + Acc (что?)
продажа
продлевать — продлить + Acc (что?)
произвольный = свободный
работоспособность
различный
разработка
распространяться
расчётный (счёт)
реализация
рекламационный
рекламный
самовывоз
своевременно
СМИ = средства массовой информа-
    ции (газеты, журналы, телевиде-
    ние, Интернет)
соглашение
состоять из
сохранён (сохранена, -о, -ы)
стабильно
сухофрукты
считать = иметь мнение, думать
телефонный аппарат = телефон
терять/потерять + Acc (что?)
товар
товарный (чек)
торговый
трудиться = работать + Inst (над чем?)
увязывать — увязать + Inst (с чем?)
удивление
уменьшенный
фиксированный
экспресс-доставка
экспресс-почта
ярлык

При составлении писем, в которых обсуждаются условия сотрудничества, цена товаров или услуг и т. п., используется следующая лексика.

транспортировка	авиа, морская, вагонная, контейнерная, железнодорожная
доставка	курьерская, почтой, экспресс-почтой, самовывоз
упаковка	прочная, надежная, герметичная, картонная, из фольги
способ оплаты	• оплата (предоплата) через банк; • кредитной картой; • безотзывный аккредитив; • платёж наличными против документов; • документы против акцепта; • наличная оплата при выдаче заказа; • наличный платёж в течение согласованного числа дней после выставления счёта.

Упражнение 1. Выполните задание по модели.

Модель: Цену устанавливают за единицу измерения товара.
Цена устанавливается за единицу измерения товара.

1) При установлении цен учитывают многие факторы.
2) Стоимость упаковки также включают в цены.
3) Стоимость товара обычно увязывают с условиями поставки.
4) Пределы изменения цен устанавливают в контракте.
5) Цены обычно указывают без налога.
6) Для экспресс-доставки используют авиационный транспорт.

Упражнение 2. Замените конструкции со словом **который** на причастные обороты.

Модель: Цены на материал, который используется в производстве, выросли.
Цены на материал, используемый в производстве, выросли.

1) Вопрос, который сейчас обсуждается, касается цен.
2) Печатные материалы, которые прилагаются к письму, помогут вам ознакомиться с ассортиментом наших товаров.
3) Предложение, которое сейчас рассматривается нами, поступило от новой фирмы.
4) В станках, которые изготавливаются на нашем заводе, используются новые материалы.
5) Оборудование, которое поставляет эта фирма, всегда высокого качества.

Упражнение 3. Дополните предложения словами из скобок по модели.

Модель: _____ расходы по этой сделке не- (транспорт)
большие.
Транспортные расходы по этой сделке небольшие.

1) _____ цены на нефть и основ- (контракт)
ные нефтепродукты остаются высокими.

2) Всё _____ оборудование уже (комплект)
поставлено.

3) _____ перевозки занимают зна- (контейнер)
чительное место в транспортировке грузов.

4) Каковы ваши _____ цены? (базис)

5) _____ техника: телефонные ап- (офис)
параты, принтеры, сканеры, копиры, ламинаторы.

6) Мы считаем, что наши цены вполне _____ (конкурент)
_____ .

7) Часто _____ знак по-другому на- (товар)
зывают — и _____ марка, и торговая
марка, брэнд.

8) BigBoard предлагает различные _____ (реклама)
конструкции.

Упражнение 4. Ответьте на вопросы, выбрав нужный глагол из скобок.

1) Вы уточнили контрактные цены?
Мы (обсуждаем/обсудили) этот вопрос на переговорах.

2) Ваши цены подлежат изменению?
Они (останутся/остаются) прежними в течение ближайших двух лет.

3) Почему вы считаете, что их цены завышены?
Мы (провели/проведем) подробный анализ их цен.

4) Почему цена на эту модель так сильно повысилась?
Увеличение цены отражает изменение цен на сырье, которые резко (повысились/повысятся) за последнее время.

5) Как вы доставляете заказы?
Транспортировка заказанных товаров (производится/произведётся) автотранспортом или железнодорожным транспортом.

Упражнение 5. Составьте предложения по модели.

Модель 1: Мой вопрос касается (чего?) цены.

Налогообложение; объём поставки; торговая система TradeRoom; упаковка товара; стоимость транспортировки; срок оплаты.

Модель 2: Цена включает в себя стоимость (чего?) упаковки.

Тара; маркировка, доставка, погрузка, почтовые расходы.

Модель 3: К сожалению, нам придётся (что сделать?) отказаться от этого предложения.

Повысить цены; констатировать факт; увеличить срок; изменить техническое задание; уменьшить количество.

Упражнение 6. Прочитайте текст. Выберите аргументированный ответ на вопросы «покупателя», соединив фразы из левой и правой колонки.

ПОКУПАТЕЛЬ	ПРОДАВЕЦ
• Сколько стоит ваш продукт?	1) Объём вашего заказа влияет на цену. Сколько вам нужно продукта в год и каковы размеры партий в течение года?
	2) Если вас больше всего беспокоит цена, то вы можете принять неверное решение, так как цена не всегда определяет качество.
• Ваши костюмы стоят дороже, чем в других магазинах.	1) Мы понимаем, почему вы так считаете.
	2) Да, цена у этой модели выше, чем стоят похожие на неё, но и качество намного лучше.
• Является ли цена твёрдой или может быть изменена?	1) На период договора цена будет оставаться фиксированной.
	2) Цена может быть уменьшена, если количество заказа больше 10 000 штук.
• Каковы сроки доставки?	1) Срок доставки заказа зависит от оперативности служб доставки.
	2) Минимальный срок доставки — 2 дня.
• На каких условиях можно обменять или вернуть товар?	1) Продавец обязан принять товар, даже если покупатель потерял кассовый или товарный чек.
	2) Если сохранен товарный вид, упаковка, пломбы, ярлыки, а так же у вас есть товарный или кассовый чек, документация к товару.

ПИСЬМО-ЗАКАЗ

Письмо-заказ составляют при оформлении заказа на услуги, покупку и/или доставку товаров, груза и проч.

План письма-заказа может быть следующим:

1. **Ссылка** на предыдущее письмо, по которому производится заказ продукта.

> Благодарим вас за ваше предложение...
> С благодарностью подтверждаем получение вашего письма от...
> Разрешите поблагодарить вас за каталоги и образцы, которые мы получили...

2. **Повторить условия**, на которых вы заказываете продукт, — цена, качество, количество, скидки, условия платежа, условия доставки.

> Мы изучили образцы и были удовлетворены их качеством.
> Мы были бы благодарны, если вы предоставите нам 15 %-ную скидку на весь заказ.

3. **Подтверждение заказа**, указание, что бланк с заказом прилагается.

> Прилагаем бланк заказа...
> Подтверждаем наш заказ № 35-766 от...

4. **Предложение условий платежей**.

> Согласно нашей договоренности, условия платежа...
> Оплата будет произведена... (с расчётного счёта, посредством безотзывного аккредитива и т. д.)
> Гарантируем оплату с нашего р/с...

5. Указать **сроки и условия** доставки.

> Заказ должен быть доставлен ... не позднее 31 июля 2009 г.

6. **Стандартное окончание** письма.
7. Ваша **подпись**, имя, должность.

> Заказ может быть оформлен на бланке.

ЗАКАЗ НА ПОСТАВКУ

от «____» _____ 200___ г.

ПОСТАВЩИК:

ПОКУПАТЕЛЬ:

ПОСТАВЛЯЕМОЕ ОБОРУДОВАНИЕ И ЦЕНЫ

№ п/п	Наименование оборудования	Кол-во	Цена в руб. за единицу оборудования	Стоимость в руб. со склада ПОСТАВЩИКА
	Итого:			

Срок поставки оборудования: ____ дней, с даты оплаты.

Аванс в размере _____ %.

Датой поставки считается дата товарной накладной ПОСТАВЩИКА

Датой оплаты считается дата поступления денег на расчетный счет ПОСТАВЩИКА.

Предпочтительный вариант доставки (нужное отметить):

☐ самовывоз ПОКУПАТЕЛЕМ со склада ПОСТАВЩИКА (_____ _____);
(адрес)

☐ доставка курьерской службой ПОСТАВЩИКА. Транспортные расходы включаются в стоимость оборудования;

☐ доставка курьерской службой ПОКУПАТЕЛЯ.

Заказ на поставку оборудования оформляется в двух экземплярах и отправляется в адрес ПОСТАВЩИКА с печатью и подписью ПОКУПАТЕЛЯ.

ПОСТАВЩИК: ПОКУПАТЕЛЬ:

_____ (_____)   _____ (_____)

М.П.   М.П.

Письмо-заказ может быть написано в произвольной форме, но точность информации при составлении текста особенно важна. Неточность в номере товара из каталога или ошибку в количестве иногда нет времени или возможности исправить.

Далее следуют детальное описание заказа, способ транспортировки, упаковка, доставка, замена, страховка или способы оплаты. Также в письме могут быть указаны альтернативные варианты, на которые вы согласны.

Например: Если образец номер 54 не имеется в наличии, пожалуйста, вышлите 55, 56 или 57 вместо него.

ПИСЬМО-ГАРАНТИЯ

Гарантийные письма составляют, чтобы подтвердить обещание или условие и адресуют их организации или отдельному лицу.

Гарантируют оплату за выполненную работу, сроки её выполнения, качество выполнения работ, качество товара, сроки его поставки и т. п. Гарантия может быть самостоятельным письмом или частью другого вида письма (например, письма-заказа).

Гарантийные письма носят подчеркнуто юридический характер, соответствуют по статусу документам договорного характера.

Приведём образец гарантийного письма.

Фирма «МИРАКЛЕ»
в бухгалтерию

13 октября 2009 г.

Об оплате за проживание

ООО «Кронос-М» гарантирует оплату за проживание в гостинице «7-й этаж» с 25 по 30 октября с.г. в размере 6000 (шесть тысяч) рублей.

Оплата будет произведена в течение двух рабочих дней с момента выставления счёта. С правилами бронирования номеров (мест) в гостинице «7-й этаж» ознакомлены.

С уважением

Директор

Главный бухгалтер

Гарантируем... Гарантируем, что... Фирма гарантирует... Мы обязуемся ...	качество: безупречное, отличное, высшее, высокое, хорошее, надлежащее, среднее, торговое (принятое в торговле), низкое товар: (добро)качественный, высококачественный, некачественный, конкурентоспособный сорт: высший, первый, низкий, товар первого сорта, сорт товара гарантия: предоставляется, не распространяется (на запасные части = на запчасти) срок (гарантии): составляет (1 год), истекает (истёк), продлевается, возобновляется, изменяется

Упражнение 7. Соедините подходящие фразы из левой и правой колонки.

Продавец гарантирует

высокое качество товара
замена дефектной детали
своевременная оплата
быстрая отгрузка и доставка

Мы обязуемся

заменить (товар, дефектную деталь)
оплатить ремонт
выполнять правила и инструкции по использованию оборудования

Мы обязуемся быстро и качественно

устранить дефекты станка
отремонтировать станок
осуществить доставку (= доставить)
выбранного вами товара

Упражнение 8. Составьте словосочетания по модели.

> гарантировать + Асс (что?)
> гарантия + Gen (чего?)

Модель: гарантировать (высокое качество) — гарантировать высокое качество — гарантия высокого качества

Гарантировать (сроки выполнения; возмещение ущерба; замена товара; устранение дефекта; немедленная оплата; ремонт оборудования, выполнение заказа).

Упражнение 9. Напишите гарантийные письма пользуясь представленной информацией.

• Вы хотели бы получить мультимедиа-проектор в комплекте с экраном на штативе на период с 02.11.09 по 06.11.09. Обязуетесь вернуть его своевременно и в сохранности.

• Вам необходимы оптические диски, книги, журналы, газеты, буклеты и т. д. (согласно Приложению 1). Оплату транспортных расходов и услуг несёт ваша организация.

• Вы хотели бы получить специальное оборудование для тестирования (вы хотите опробовать его в действии). В случае успешного тестирования согласны оплатить его стоимость в течение 5 рабочих дней после получения счёта. Если товарный вид оборудования, его работоспособность или комплектность будут вами нарушены, то полностью оплатите его стоимость.

• Вам необходим во временное пользование, сроком на 2 месяца, программный комплекс ELCUT. Сообщите, что будете использовать его в соответствии с Лицензионным соглашением и в течение 2 месяцев с момента получения комплекса. Попросите о предоставлении скидки.

ДОПОЛНИТЕЛЬНЫЙ МАТЕРИАЛ

Порядок слов в предложении. Инверсия в деловой речи

Чтобы привлечь внимание читающего к нужной информации, используют инверсию. Инверсия — это изменение порядка слов в предложении, перемещение самой важной или новой информации в конец фразы.

Например: Предоставляются сертификат соответствия и гарантия на 18 месяцев.

Упражнение 10. Найдите в предложениях случаи инверсии.

1) Напоминаем, что с 14 апреля пресс-службой губернатора и правительства Самарской области проводится аккредитация СМИ.

2) Сообщаем, что 01.04.2006 состоялась государственная регистрация 5 новых обществ, созданных при реорганизации ОАО «С-энерго» и ОАО «У-энерго».

3) Обращаемся с просьбой зарегистрировать следующих участников Российско-Греческого Бизнес-Форума, который состоится 31 мая 2009 года в Торгово-промышленной палате Российской Федерации.

4) С благодарностью подтверждаем получение вашего письма от 17 сентября вместе с технической документацией.

5) Оформление документов — это очень ответственный и важный процесс, который требует максимального внимания.

6) Оплата доставки за пределами МКАД состоит из фиксированной суммы плюс оплаты за километраж.

7) Наши копирайтеры ежедневно трудятся над разработкой креативных идей и написанием оригинальных и интересных текстов, помогающих не только увеличить объём продаж, но и воплотить в жизнь ваши самые смелые бизнес-идеи.

8) При доставке наложенным платежом курьер доставляет заказ непосредственно по адресу, который вы указали при оформлении заказа.

ПРИЛОЖЕНИЕ 1

Номенклатурные сокращения, обозначающие юридический статус предприятий

АООТ — акционерное общество открытого типа

АОЗТ — акционерное общество закрытого типа

ОАО — открытое акционерное общество

ЗАО — закрытое акционерное общество (общество = компания)

ООО — общество с ограниченной ответственностью (ответственность = обязательство)

ОО — общественное объединение (объединение = компания)

ТОО — товарищество с ограниченной ответственностью (ограниченный = лимитированный)

ГП — государственное предприятие (предприятие = компания)

МП — муниципальное предприятие (муниципальный = городской)

ЧП — частное предприятие (частный = личный, приватный)

ИЧП — индивидуальное частное предприятие (индивидуальный = личный)

СП —совместное предприятие (совместный = объединённый)

НПО — научно-производственное объединение (объединение = предприятие)

Общепринятые сокращения предприятий, организаций

КБ — коммерческий банк

ТНК — транснациональная компания

ФПГ — финансово-промышленная группа

ФПК — финансово-промышленная компания

МВФ — Международный валютный фонд

ЕЭС — Европейское экономическое сообщество

ЦРБ — Центральный банк Российской Федерации

ГНИ — Государственная налоговая инспекция

МПС — Министерство путей сообщения

ММВБ — Московская межбанковская валютная биржа

РТСБ — Российская товарно-сырьевая биржа

МТБ — Московская товарная биржа

ДНП— Департамент налоговой полиции

СИФ — (междунар.SIF) стоимость, страхование, фрахт

ФОБ — (междунар.FOB) свободно на борту судна

ФАС — (междунар. FAS) свободно вдоль борта судна
ЕТТ — единый транзитный тариф
МТТ — Международный транзитный тариф
НДС — налог на добавленную стоимость
ЧИФ — чековый инвестиционный фонд
НПФ — негосударственный пенсионный фонд
ОКВ — ограниченно конвертируемая валюта
р/с — расчётный счёт
ИНН — идентификационный номер налогоплательщика

ПРИЛОЖЕНИЕ 2

Итоговые задания

1. Используя модель, напишите аналогичные примеры.

ПРЕДЛОЖЕНИЕ ОДОБРЕНИЯ

Модель 1: Мы рады отметить, что уровень работы по организации и выполнению нашего заказа полностью соответствует нашим ожиданиям.

1) работа выполнена полностью;
2) у заказчика нет замечаний;
3) наше сотрудничество расширяется;
4) полученное оборудование соответствует нашим требованиям;
5) растет продуктивность;
6) все обязательства выполнены.

ПОДТВЕРЖДЕНИЕ

Модель 2: Подтверждаем получение копии контракта.

1) письмо;
2) телекс;
3) счёт;
4) каталоги;
5) образцы;
6) заказ;
7) банковская гарантия.

НАПОМИНАНИЕ

Модель 3: Как вы помните, мы согласовали с вами сроки поставки.

1) вы отправили заявку об участии в выставке в конце прошлого месяца;

2) мы договорились о встрече в коммерческом центре выставки;

3) экспоненты должны направить заявки об участии в выставке не позднее 1 января с.г.;

4) срок подачи вашего проекта — 25 сентября.

ОБОСНОВАНИЕ ПОЗИЦИИ, МНЕНИЕ

Модель 4: Мы считаем, что цены завышены.

1) цены вашего поставщика слишком высокие;

2) оборудование дешёвое;

3) качество товара низкое;

4) выставка интересная;

5) риски инвестиций в акции «MiX» достаточно высоки.

РЕАКЦИЯ

Модель 5: Завышенная цена вызвала у нас недоумение.

1) их предложение — недоумение;

2) задержка поставки на 3 недели — недоумение;

3) выставка — интерес;

4) продукция, которую вы производите, — интерес;

5) невысокие цены — удивление;

6) данный факт — удивление.

КОНСТАТАЦИЯ ФАКТА

Модель 6: Расчёты оказались заниженными.

1) цены — завышенные;

2) упаковка — нарушенная;

3) товары — дорогие;

4) оборудование — дешёвое;

5) качество образцов — высокое;

6) выставка — интересная.

2. Напишите ответ на письмо.

146

Отдел продаж
АО «Интертрейд»

« 12 » ___декабря___ 200 8 г.

№___321/123___

                    Уважаемые господа,
просим прислать нам всю информацию и каталоги, включая экспортный
прейскурант, на ваши духи.

Мы заинтересованы в таких духах, как «Только ты», «Триумф», а также
в любом другом виде духов.

Вышлите нам, пожалуйста, ваши каталоги, литературу или брошюры
и ваш экспортный прейскурант, и, если возможно, любые образцы вашей
продукции, которая сейчас у вас есть в наличии.

Заранее благодарим за сотрудничество и надеемся, что сможем высту-
пать в качестве агентов по распространению вашей продукции в районе
Нью-Джерси/Нью-Йорка.

Искренне ваш,

начальник отдела
по закупке   Уорен Смитт

В вашем письме укажите:
1) адресата;
2) дату отправления письма;
3) тему письма.

В основной части письма:
1) обратитесь к адресату;
2) подтвердите получение письма, поблагодарите ваших партнеров за него;
3) сообщите о том, что вы прилагаете каталоги, ... образцы; укажите на
наличие приложения;
4) сообщите о желании вашей фирмы продолжать сотрудничество.

3. Напишите официальное письмо.

Ситуация: Российская компания АО «Интертрейд», которая сотрудничает
с вашей фирмой, сообщила о причинах задержки доставки товара. В связи
с этим (= поэтому) российская компания предполагает, что в этом году она

сможет поставить только часть товара, и просит перенести срок поставки остального количества товара на будущий год. Генеральный директор АО «Интертрейд» Прохоров Юрий Евгеньевич.

Ваше письмо должно содержать следующую информацию:
1) должность, фамилию, имя и отчество получателя;
2) дату отправления письма;
3) тему письма.

В основной части письма:
1) обратитесь к адресату;
2) подтвердите получение товара и сопроводительного документа к нему;
3) напишите о том, что надеетесь на изменение ситуации;
4) сообщите, что просьба АО «Интер» может быть принята только частично и вы можете перенести сроки поставки только в пределах этого года;
5) объясните, почему вам необходимо получить товар до конца этого года;
6) напомните адресату о необходимости соблюдать контрактные сроки.

4. Напишите ответ на письмо.

Отдел продаж
АО «Интертрейд»

« _11_ » ___декабря___ 200_8_ г.

№___234/321___

        Уважаемые господа,

нами получено ваше письмо, в котором вы просите сообщить информацию об условиях оплаты.

Платёж будет осуществляться в долларах США по безотзывному аккредитиву, открываемому на 10 дней в Международном банке в пользу продавца.

Аккредитив открывается на стоимость партии товаров, готовой к отгрузке. Аккредитив должен быть открыт в течение 5 дней после получения извещения продавца о готовности товара к отгрузке.

Надеемся на дальнейшее сотрудничество.

Начальник отдела
по работе с клиентами   Ю.Г. Симонов

В вашем письме укажите:

1) адресата;

2) дату отправления письма;

3) тему письма.

В основной части письма:

1) обратитесь к адресату;

2) подтвердите получение письма, сообщите, что полученная информация принята к сведению;

3) предложите встречу для подписания контракта;

4) запросите место и время такой встречи;

5) закончите письмо формулой этикета.

5. Напишите официальное письмо.

Ситуация: ваша фирма сотрудничает с российской фирмой, от которой вы только что получили новую партию товара. При вскрытии товара вы обнаружили дефекты. Вы должны написать письмо в АО «Интертрейд». Генеральный директор АО «Интертрейд» Марков Вячеслав Фёдорович.

Письмо должно содержать следующую информацию:

1) должность, фамилию, имя и отчество получателя;

2) дату отправления письма;

3) тему письма.

В основной части письма:

1) обратитесь к адресату;

2) подтвердите получение товара и сопроводительного документа к нему;

3) сообщите о фактах несоблюдения контракта (например, о дефектах, повреждении товара и т. д.);

4) сообщите о направлении адресату акта о дефектах, который составили специалисты вашей фирмы; укажите на наличие приложения;

5) выскажите ваше предположение о причинах повреждения товара;

6) попросите ликвидировать повреждения или заменить товар на новый;

7) напишите о том, что в будущем такой ситуации не должно повториться.

Содержание

ДОПОЛНИТЕЛЬНЫЙ МАТЕРИАЛ: Императив для выражения просьбы. Номенклатурные сокращения, обозначающие юридический статус предприятий, организаций

Учебное издание

Татьяна Николаевна Базванова
Тамара Константиновна Орлова

БИЗНЕС-КОРРЕСПОНДЕНЦИЯ

Пособие по обучению деловому письму

Редактор: *Т.В. Игнатова*
Корректор: *В.К. Ячковская*
Дизайн обложки: *Е.Н. Федорченко*
Компьютерная вёрстка: *Е.П. Бреславская*

Формат 70×90/16. Объём 9,5 п. л. Тираж 2000 экз.
Подписано в печать 25.08.09. Заказ 1993.

Издательство ЗАО «Русский язык». Курсы
125047, г. Москва, 1-я Тверская-Ямская ул., д. 18
Тел./факс: (495) 251-08-45; тел.: (495) 250-48-68
e-mail: kursy@online.ru; ruskursy@gmail.com; rkursy@gmail.com
www.rus-lang.ru

Отпечатано с готового оригинал-макета издательства
в ОАО «Областная типография «Печатный двор»
432049, г. Ульяновск, ул. Пушкарёва, д. 27